D0269758

KIRKCALDY TECHNICAL COLLEGE
18

CINQ CONTES

Cinq Contes

A SIMPLIFIED READER

EDITED WITH NOTES AND

BIOGRAPHICAL INTRODUCTIONS

BY

H. S. EVASON, M.A.

Head of the Modern Languages Department
Wrekin College

LONDON

METHUEN & CO LTD

11 NEW FETTER LANE · EC4

First published in 1964
Reprinted 1965
1 · 2

Printed in Great Britain by
T. H. Brickell and Son Ltd
Gillingham, Dorset

Preface

This Reader attempts to introduce pupils in the Certificate year to some of the great French story-tellers of the past. So many of those studying French reach "O" Level without becoming acquainted with the masters of French literature just because their works are too difficult. The Editor feels that the same principle could apply in French as applies in Music, where pupils are introduced to the works of great composers in a simplified form long before they are sufficiently proficient to play the original score. To achieve this end five stories of wide variety and interest have been adapted and annotated, while every effort has been made to preserve the hall-marks of the original.

Short biographical introductions have been added, together with a complete vocabulary.

H.S.E.

Guy de Maupassant

DEUX AMIS

PARIS ÉTAIT BLOQUÉ[1] ET AFFAMÉ. M. MORISSOT, EN SE promenant tristement par un clair matin de janvier le long du boulevard, les mains dans les poches et le ventre vide, s'arrêta net[2] devant un ami.

C'était M. Sauvage, une connaissance du bord de l'eau.[3]

Chaque dimanche, avant la guerre, M. Morissot partait dès l'aurore, une canne en bambou d'une main, une boîte en fer-blanc sur le dos. Il prenait le chemin de fer à Colombes, puis gagnait à pied l'île Marante; et là, il pêchait jusqu'à la nuit. Chaque dimanche, il rencontrait là M. Sauvage, autre pêcheur fanatique.

Immédiatement ils se serrèrent les mains[4] et se mirent à marcher côte à côte, rêveurs et tristes. Ils entrèrent dans un petit café pour boire une absinthe;[5] puis ils se remirent à se promener sur les trottoirs. Morissot s'arrêta soudain et dit: "Une seconde, hein?" M. Sauvage y consentit et ils entrèrent dans un autre café.

En sortant, M. Sauvage, que l'air tiède achevait de griser,[6] s'arrêta: "Si on y allait?

- Où ça?

– A la pêche, donc.

– Mais où?

– Mais à notre île. Les avant-postes français sont auprès de Colombes. Je connais le colonel Dumoulin; on nous laissera passer facilement".

Morissot dit: "C'est dit. J'en suis".[7] Et ils se séparèrent pour aller chercher leurs cannes à pêche.

Une heure après, ils marchaient côte à côte sur la grand'

route. Bientôt ils franchirent les avant-postes et se trouvèrent au bord des petits champs de vigne qui descendent vers la Seine. Il était environ onze heures.

M. Sauvage, en montrant du doigt les hauteurs qui dominaient tout le pays murmura: "Les Prussiens[8] sont là-haut!" Et une inquiétude paralysait les deux amis.

"Les Prussiens!" Ils ne les avaient jamais aperçus, mais ils les sentaient là depuis des mois, autour de Paris, ruinant la France, pillant, massacrant. Et une sorte de terreur superstitieuse s'ajoutait à la haine qu'ils avaient pour ce peuple inconnu et victorieux.

A la fin M. Sauvage se décida: "Allons, en route! mais avec précaution". Et ils descendirent dans un champ de vigne, courbés en deux, profitant des buissons pour se couvrir. Enfin ils arrivèrent à la berge.

Morissot colla sa joue par terre pour écouter si on ne marchait pas dans les environs. Il n'entendit rien. Ils étaient seuls, tout seuls.

Ils se mirent à pêcher.

En face d'eux l'île Marante, abandonnée, les cachait à[9] l'autre berge. Son petit restaurant était fermé.

M. Sauvage prit le premier goujon, Morissot le second; et d'instant en instant ils levaient leurs lignes avec une petite bête argentée au bout du fil: une vraie pêche miraculeuse.

Ils mirent les poissons dans un filet à leurs pieds et une joie délicieuse les pénétrait. Ils ne pensaient plus à rien; ils pêchaient.

Mais soudain un bruit sourd se fit entendre. Le canon se remettait à tonner.

Morissot tourna la tête et aperçut là-bas, sur la gauche, la grande silhouette du mont Valérien, qui venait de cracher un jet de fumée. D'autres détonations suivirent, et de moment en moment la montagne jetait son haleine de mort.

M. Sauvage haussa les épaules: "Voilà qu'ils recommencent,"[10] dit-il.

Morissot, qui regardait anxieusement son flotteur, dit avec colère: "Il faut être stupide pour se tuer comme ça".

"C'est la vie," déclara M. Sauvage.

"Dites plutôt que c'est la mort," répondit Morissot.

Mais ils tressaillirent effrayés, sentant qu'on venait de marcher derrière eux; et ayant tourné les yeux, ils aperçurent quatre hommes, quatre grands hommes armés et barbus qui les tenaient en joue au bout de leurs fusils[11].

Les deux lignes s'échappèrent de leurs mains et se mirent à descendre la rivière.

En quelques secondes, ils furent saisis, attachés, jetés dans une barque et emportés dans l'île.

Et derrière le restaurant qu'ils croyaient abandonné, ils aperçurent une vingtaine de soldats allemands.

Une sorte de géant, qui fumait, à cheval[12] sur une chaise, une grande pipe de porcelaine, leur demanda en excellent français: "Eh bien, messieurs, avez-vous fait bonne pêche?"[13]

Alors un soldat déposa aux pieds de l'officier le filet plein de poissons. Le Prussien sourit: "Eh! Je vois que ça n'allait pas mal.[14] Mais il s'agit d'autre chose[15] maintenant. Écoutez-moi et ne vous troublez pas. Pour moi, vous êtes deux espions envoyés pour me guetter. Je vous prends et je vous fusille. Vous faisiez semblant[16] de pêcher pour cacher vos projets. Vous êtes tombés entre mes mains, tant pis pour vous;[17] c'est la guerre.

"Mais comme vous êtes sortis par les avant-postes, vous avez assurément un mot d'ordre[18] pour rentrer. Donnez-moi ce mot d'ordre et je vous fais grâce".[19]

Les deux amis, côte à côte, les mains agitées d'un léger tremblement nerveux, se taisaient.

L'officier reprit: "Personne ne le saura jamais, vous rentrerez paisiblement. Le secret disparaîtra avec vous. Si vous refusez, c'est la mort, et tout de suite. Choisissez".

Ils demeurèrent immobiles sans ouvrir la bouche.

Le Prussien, toujours calme, reprit en étendant la main vers la rivière: "Songez que dans cinq minutes vous serez au fond de cette eau. Dans cinq minutes! Vous devez avoir des parents?"

Le mont Valérien tonnait toujours.[20]

Les deux pêcheurs restaient debout et silencieux. L'Allemand donna des ordres dans sa langue. Puis il changea sa chaise de place[21] pour ne pas se trouver trop près des prisonniers; et douze hommes vinrent se placer à vingt pas, le fusil au pied.[22]

L'officier reprit: "Je vous donne une minute, pas deux secondes de plus".

Puis il se leva brusquement, s'approcha des deux Français, prit Morissot sous le bras, l'entraîna plus loin, lui dit à voix basse: "Vite, ce mot d'ordre? votre camarade ne saura rien".

Morissot ne répondit rien.

Le Prussien entraîna alors M. Sauvage et lui posa la même question.

M. Sauvage ne répondit pas.

Ils se retrouvèrent côte à côte.

Et l'officier se mit à commander. Les soldats élevèrent leurs armes.

Alors le regard de Morissot tomba par hasard sur le filet plein de goujons, resté dans l'herbe, à quelques pas de lui.

Un rayon de soleil faisait briller le tas de poissons qui s'agitaient encore. Malgré ses efforts, ses yeux s'emplirent de larmes.

Il balbutia: "Adieu, M. Sauvage".

M. Sauvage répondit: "Adieu, M. Morissot".

Ils se serrèrent la main, secoués des pieds à la tête par d'invincibles tremblements.[23]

L'officier cria: "Feu!"

Les douze coups n'en firent qu'un.[24]

M. Sauvage tomba sur le nez. Morissot, plus grand, oscilla et tomba en travers sur son camarade, le visage au ciel, tandis que des bouillons de sang s'échappèrent de sa tunique crevée à la poitrine.

L'Allemand donna de nouveaux ordres.

Ses hommes se dispersèrent, puis revinrent avec des cordes et des pierres qu'ils attachèrent aux pieds des deux morts; puis ils les portèrent sur la berge.

Le mont Valérien ne cessait pas de gronder.

Deux soldats prirent Morissot par la tête et par les jambes; deux autres saisirent M. Sauvage de la même façon. Les corps, un instant balancés avec force, furent lancés au loin et plongèrent, debout, dans le fleuve, les pierres entraînant les pieds d'abord.

L'officier dit: "C'est le tour des poissons maintenant".

Puis il revint vers la maison.

Et soudain il aperçut le filet aux goujons dans l'herbe. Il le ramassa, l'examina, sourit et cria: "Wilhelm!"

Un soldat accourut, en tablier blanc. Et le Prussien, lui jetant la pêche des deux fusillés, commanda: "Fais-moi frire tout de suite ces petits animaux-là pendant qu'ils sont encore vivants. Ce sera délicieux".

Puis il se remit à fumer sa pipe.

Notes

Guy de Maupassant was born near Dieppe on August 5th 1850. He spent his childhood running free in the woods and fields and only later went to a seminary at Yvetot. When he had left school the Franco-Prussian war broke out and some of his most famous tales, *Boule de Suif* and *Mademoiselle Fifi*, from which *Deux Amis* is taken, are tales of that campaign. After the war he became a civil servant first in the Ministère de la Marine and later in the Ministère de l'Instruction Publique, when he experienced at first hand, as a junior clerk, the effect of poverty on character which is shown in scores of his tales.

He is the acknowledged master of the short story, of which he wrote an endless succession for the daily press – in all they make up 17 volumes. He writes in terse, vigorous language, producing his effect with every phrase. Like a clever artist in black and white he suggests a character in half a dozen lines. He illustrates the impersonality and conciseness of the Realist School.

But he suffered from brain exhaustion which he tried to remedy with dangerous drugs such as cocaine or hashish and died from an incurable disease after two years in an asylum in Paris on July 6th 1893, at the early age of 42.

1 *bloqué:* "blockaded" (by the Prussians during the siege of Paris in 1870).
2 *s'arrêta net:* "stopped dead".
3 *une connaissance du bord de l'eau:* "a fishing acquaintance".
4 *ils se serrèrent les mains:* "they shook hands".
5 *une absinthe:* "an absinth" (a green-coloured liqueur).
6 *achevait de griser:* "completely intoxicated".
7 *J'en suis:* "I'm with you".
8 *les Prussiens:* "the Prussians" (who were blockading Paris).
9 *les cachaient à:* "hid them from".
10 *voilà qu'ils recommencent:* "now they are beginning again".
11 *qui les tenaient en joue au bout de leurs fusils:* "whose rifles were trained on them".
12 *à cheval:* "astride".
13 *avez-vous fait bonne pêche?:* "have you had a good catch?"

14 *ça n'allait pas mal:* "it wasn't so bad".
15 *il s'agit d'autre chose:* "it's about another matter".
16 *vous faisiez semblant:* "you were pretending".
17 *tant pis pour vous:* "so much the worse for you".
18 *un mot d'ordre:* "a pass-word".
19 *je vous fais grâce:* "I will pardon you".
20 *toujours:* "still".
21 *changea sa chaise de place:* "changed the position of his chair".
22 *le fusil au pied:* "with rifles grounded".
23 *d'invincibles tremblements:* "uncontrollable trembling".
24 *n'en firent qu'un:* "went off as one".

Alphonse Daudet

LE CURÉ DE CUCUGNAN

L'ABBÉ MARTIN ÉTAIT CURÉ DE CUCUGNAN.[1] IL AIMAIT bien ses Cucugnanais,[2] mais, hélas, ils étaient méchants et n'allaient que rarement à l'église.

Le bon prêtre était triste et un dimanche il monta en chaire.[3] "Mes frères", dit-il, "vous me croirez si vous voulez: l'autre nuit, je me suis trouvé, moi misérable pécheur, à la porte du paradis.

"Je frappai: Saint-Pierre m'ouvrit!

" 'Tiens! c'est vous, mon brave monsieur Martin; quel bon vent vous amène?... et qu'y a-t-il pour votre service?[4]

– Beau Saint-Pierre, vous qui tenez le grand livre et la clé, pourriez-vous me dire, si je ne suis pas trop curieux, combien de Cucugnanais vous avez en paradis?

– Je n'ai rien à vous refuser, monsieur Martin; asseyez-vous, nous allons voir la chose ensemble'.

"Et Saint-Pierre prit son gros livre, l'ouvrit, mit ses besicles: 'Voyons un peu: Cucugnan, disons-nous. Cu.... Cu.... Cucugnan. Nous y sommes. Cucugnan.... Mon brave monsieur Martin, la page est toute blanche. Pas une âme.

– Comment! Personne de Cucugnan ici? Personne? Ce n'est pas possible! Regardez mieux....

– Personne, saint homme. Regardez vous-même, si vous croyez que je plaisante'.

"Moi, je frappais des pieds, et, les mains jointes,[5] je criais miséricorde.[6] Alors, Saint-Pierre m'a dit: 'Croyez-moi, monsieur Martin, ce n'est pas votre faute, après tout. Vos Cucugnanais, voyez-vous, doivent faire leur petite quarantaine[7] en purgatoire.

– Ah! par charité, grand Saint-Pierre! faites que je puisse au moins les voir, les voir et les consoler.

– Volontiers, mon ami! Tenez, chaussez vite ces sandales, car les chemins ne sont pas beaux. Maintenant, cheminez, cheminez droit devant vous. Voyez-vous là-bas, au fond, en tournant? Vous trouverez une porte d'argent toute constellée de croix noires . . . à main droite. . . . Vous frapperez, on vous ouvrira. Adieu!'

"Et je cheminai . . . je cheminai! J'ai la chair de poule,[8] rien que d'y songer.[9] Un petit sentier plein de ronces, et de serpents qui sifflaient, m'amena jusqu'à la porte d'argent.

"Pan! pan!

'Qui frappe?' me dit une voix rauque.

– Le curé de Cucugnan.

– De . . . ?

– De Cucugnan.

– Ah! entrez.'

"J'entrai. Un grand bel ange, avec des ailes sombres comme la nuit, avec une robe resplendissante comme le jour, avec une clé de diamant pendue à sa ceinture, écrivait, cra-cra, dans un grand livre, plus gros que celui de Saint-Pierre.

'Finalement, que voulez-vous et que demandez-vous?' dit l'ange.

'Bel ange de Dieu, je veux savoir, – je suis bien curieux peut-être, – si vous avez ici les Cucugnanais.

– Les . . . ?

– Les Cucugnanais, les gens de Cucugnan, parce que c'est moi qui suis leur prieur.

– Ah! l'abbé Martin, n'est-ce pas?

– Pour vous servir,[10] monsieur l'ange.

– Vous dites donc Cucugnan . . . ?'

"Et l'ange ouvre son grand livre, mouillant son doigt de salive pour tourner les pages.

'Cucugnan', dit-il en poussant un long soupir . . . 'monsieur Martin, nous n'avons en purgatoire personne de Cucugnan.

– Jésus! Marie! Joseph! personne de Cucugnan en purgatoire! O Dieu! O grand Dieu! où sont-ils donc?

– Eh! saint homme, ils sont en paradis!

– Mais, j'en viens, du paradis.

– Vous en venez? eh bien?

– Eh bien! ils n'y sont pas! Ah! bonne mère des anges!

– Que voulez-vous, monsieur le curé? s'ils ne sont ni en paradis ni en purgatoire, il n'y a pas de milieu,[11] ils sont. . ..

– Sainte croix! Jésus!, fils de David! est-il possible? Serait-ce un mensonge du grand Saint-Pierre? Pourtant je n'ai pas entendu chanter le coq! Pauvres nous! comment irai-je en paradis, si mes Cucugnanais n'y sont pas?

– Écoutez, mon pauvre monsieur Martin, puisque vous voulez être sûr de tout ceci et voir de vos propres yeux, prenez ce sentier, allez en courant, si vous savez courir. . . . Vous trouverez, à gauche, un grand portail. Là, vous vous renseignerez sur tout'.

"Et l'ange ferma la porte.

"C'était un long sentier tout pavé de braise rouge. Je chancelais comme si j'avais bu; à chaque pas je trébuchais; j'étais tout en eau[12] et je haletais de soif . . . Mais, ma foi! grâce aux sandales que le bon Saint-Pierre m'avait prêtées, je ne me brûlai pas les pieds.

"Quand j'eus fait assez de faux pas,[13] je vis à ma main gauche une porte . . . non, un portail, un énorme portail. Oh! mes enfants, quel spectacle! . . . Là, on ne demande pas mon nom; là, point de registre. Par fournées[14] on entre là, mes frères, comme le dimanche vous entrez au cabaret.

"Mes cheveux se dressaient.[15] Je sentais le brûlé, la chair rôtie, quelque chose comme l'odeur qui se répand dans notre

Cucugnan quand Éloy, le maréchal brûle pour la ferrer la botte d'un vieil âne! J'entendais une clameur horrible, des gémissements et des hurlements.

" 'Eh bien! entres-tu ou n'entres-tu pas, toi?' me dit, en me piquant de sa fourche, un démon cornu.

– Moi? Je n'entre pas. Je suis un ami de Dieu!

– Tu es un ami de Dieu! . . . Eh! que viens-tu faire ici?

– Je viens . . . je viens de loin . . . humblement vous demander . . . si . . . si par hasard . . . vous n'auriez pas ici . . . quelqu'un . . . quelqu'un de Cucugnan!

– Ah! feu de Dieu! tu fais la bête,[16] toi, comme si tu ne savais pas que tout Cucugnan est ici. Tiens, laid corbeau, regarde, et tu verras comme nous les arrangeons ici, tes fameux Cucugnanais!'

"Et je vis, au milieu d'épouvantables flammes:

Le long Coq-Galine, – vous l'avez tous connu, mes frères, – Coq-Galine, qui se grisait si souvent, et si souvent battait sa pauvre femme Clairon.

Je vis Catarinet . . . cette petite gueuse . . . avec son nez en l'air . . . vous vous la rappelez, mes frères?

Je vis Pascal Doigt-de-Poix,[17] qui faisait son huile avec les olives de M. Julien.

Je vis maître Crapasi, qui huilait si bien la roue de sa brouette.

Et Dauphine, qui vendait si cher l'eau de son puits.

Et Coulau avec sa Zette, et Jacques, et Pierre, et Toni."

Émus, blancs de peur, les gens écoutèrent en gémissant, voyant dans l'enfer leurs pères, leurs mères, leurs frères et leurs soeurs.

"Vous sentez bien, mes frères," reprit le bon abbé Martin, "vous sentez bien que ceci ne peut pas continuer. J'ai charge d'âmes, et je veux vous sauver. Demain je me mets à l'ouvrage, pas plus tard que demain. Et l'ouvrage ne manquera pas. Voici comment je m'y prendrai.[18] Nous irons rang par rang.

"Demain, lundi, je confesserai les vieux et les vieilles. Cela n'est rien.

Mardi, les enfants. J'aurai bientôt fait.

Mercredi, les garçons et les filles. Cela pourra être long.

Jeudi, les hommes. Nous couperons court.[19]

Vendredi, les femmes. Je dirai: 'Pas d'histoires!'

Samedi, le meunier![20] Ce n'est pas trop d'un jour[21] pour lui tout seul.

Et, si dimanche nous avons fini, nous serons bien heureux. Amen".

Ce qui fut dit fut fait.[22] Depuis ce dimanche mémorable, le parfum des vertus de Cucugnan se respire à dix lieues à l'entour.[23]

Et voilà l'histoire du curé de Cucugnan.

Notes

Alphonse Daudet was born at Nîmes in the South of France in 1840. At 17 he went to Paris and was soon writing articles and stories for the *Figaro*, then a weekly paper of considerable importance. After some years he returned to his native Provence with its sunny skies and glorious landscapes. His Provençal temperament, with its vigorous imagination, lively humour and intense longing for travel and adventure inspired many of his stories and novels, which include *Lettres de Mon Moulin*, *Le Petit Chose*, *Tartarin de Tarascon*, *Tartarin sur les Alpes*, *Froment Jeune et Risler Aîné*, *Contes du Lundi* and *Jack*.

Lettres de Mon Moulin, from which the extract is taken, was begun during his stay at an old farm in Provence, where stood the ruined mill of which he writes. It is an excellent example of the way in which his humour, sympathy and satire show the results of his keen observation of life.

For the last seven years of his life he wrote little, being handicapped by a painful, lingering illness. He died in 1897, at the age of 57.

1 *Cucugnan:* an imaginary town.
2 *Cucugnanais:* "inhabitants of Cucugnan".
3 *il monta en chaire:* "he went into the pulpit".
4 *qu'y a-t-il pour votre service?:* "what can I do for you?"
5 *les mains jointes:* " with clasped hands".
6 *je criais miséricorde:* "I cried for mercy".
7 *faire leur petite quarantaine:* "spend their short quarantine".
8 *j'ai la chair de poule:* "my flesh creeps".
9 *rien que d'y songer:* "at the very thought of it".
10 *Pour vous servir:* "at your service".
11 *il n'y a pas de milieu:* "there is nowhere between".
12 *j'étais tout en eau:* "I was drenched with perspiration".
13 *j'eus fait assez de faux pas:* "I had stumbled a good deal".
14 *par fournées:* "in batches". (*Une fournée* is the amount of bread cooked in an oven at one time.)
15 *Mes cheveux se dressaient:* "my hair stood on end".
16 *tu fais la bête:* "you are playing the fool".
17 *Pascal Doigt-de-Poix:* "Pascal Pitch Fingers" (a thief – everything sticks to his fingers).
18 *voici comment je m'y prendrai:* "this is how I shall set about it".
19 *Nous couperons court:* "we will cut it short".
20 *le meunier:* Daudet himself? The story is from *Lettres de mon Moulin*.
21 *Ce n'est pas trop d'un jour:* "one day is not too much".
22 *Ce qui fut dit fut fait:* "what was said was done".
23 *se respire à dix lieues à l'entour:* "can be breathed for ten leagues around".

Prosper Mérimée

MATEO FALCONE

Mateo Falcone avait sa maison près du maquis[1] en Corse. C'était un homme assez riche pour le pays. Lorsque je le vis, il me parut âgé de cinquante ans.

Figurez-vous un homme petit mais robuste, avec des cheveux crépus et noirs, un nez aquilin, les lèvres minces, et les yeux grands et vifs. Son habileté au tir du fusil[2] passait pour extraordinaire, et il s'était attiré une grande réputation. On le disait aussi bon ami que dangereux ennemi.

Sa femme Giuseppa lui avait donné d'abord trois filles et enfin un fils, qu'il nomma Fortunato: c'était l'espoir de sa famille, l'héritier du nom.

Un certain jour d'automne, Mateo sortit de bonne heure avec sa femme pour aller visiter un de ses troupeaux dans une clairière du maquis. Le petit Fortunato, qui n'avait que dix ans, voulait l'accompagner, mais la clairière était trop loin et son père refusa.

Il était absent depuis quelques heures, et le petit Fortunato était tranquillement étendu au soleil, regardant les montagnes bleues, quand il entendit soudainement l'explosion d'une arme à feu. Il se leva. D'autres coups de fusil se suivirent, toujours de plus en plus rapprochés;[3] enfin, dans le sentier qui menait de la plaine à la maison de Mateo parut un homme, coiffé d'un bonnet pointu[4] comme en portent les montagnards, barbu, couvert de haillons et se traînant avec peine en s'appuyant sur son fusil. Il était blessé.

Cet homme était un bandit[5] qui était tombé dans une embuscade. Il s'approcha de Fortunato et lui dit:

"Tu es le fils de Mateo Falcone?

– Oui.

– Moi, je suis Gianetto Sanpiero. Je suis poursuivi par les soldats. Cache-moi, car je ne puis aller plus loin.

– Et que dira mon père si je te cache sans sa permission?

– Il dira que tu as bien fait.

– Qui sait?

– Cache-moi vite; ils viennent.

– Attends que mon père soit revenu.

– Malédiction! Ils seront ici dans cinq minutes. Allons, cache-moi, ou je te tue".

Fortunato répondit: "Ton fusil est déchargé et tu n'as plus de cartouches...

– Tu n'es pas le fils de Mateo Falcone! Me laisseras-tu donc arrêter[6] devant ta maison?"

L'enfant parut touché.

"Que me donneras-tu si je te cache?" dit-il en se rapprochant.

Le bandit fouilla dans une poche de cuir qui pendait à sa ceinture, et il en tira une pièce de cinq francs. Fortunato sourit à la vue de la pièce d'argent; il s'en saisit et dit à Gianetto:

"Ne crains rien".

Aussitôt il fit un grand trou dans un tas de foin placé auprès de la maison. Gianetto s'y blottit, et l'enfant le recouvrit de manière à lui laisser un peu d'air pour respirer. Il alla prendre, aussi, une chatte et ses petits et les mit sur le tas de foin pour faire croire[7] qu'il n'avait pas été remué. Ensuite, remarquant des traces de sang sur le sentier près de la maison, il les couvrit de poussière avec soin, et, cela fait,[8] il se recoucha au soleil avec la plus grande tranquillité.

Quelques minutes après, six hommes en uniforme brun et commandés par un adjudant,[9] étaient devant la porte de Mateo. Cet adjudant était quelque peu parent[10] de Falcone. Il se nommait Tiodoro Gamba: c'était un homme actif, fort redouté des bandits.

"Bonjour, petit cousin", dit-il à Fortunato, "comme te voilà grandi![11] As-tu vu passer un homme tout à l'heure?

– Oh! je ne suis pas encore si grand que vous, mon cousin", répondit l'enfant d'un air niais.

"Cela viendra. Mais n'as-tu pas vu passer un homme, dis-moi?

– Si j'ai vu passer un homme?

– Oui, un homme avec un bonnet pointu de peau de chèvre?

– Un homme avec un bonnet pointu?

– Oui, réponds vite, et ne répète pas mes questions.

– Ce matin, M. le curé est passé devant notre porte sur son cheval Piero. Il m'a demandé comment papa se portait, et je lui ai répondu. . . .

– Ah! petit drôle. Dis-moi vite par où est passé Gianetto, car c'est lui que nous cherchons; et, j'en suis certain, il a pris par ce sentier.[12]

– Qui sait?

– Qui sait? C'est moi qui sais que tu l'as vu.

– Est-ce qu'on voit les passants quand on dort?

– Tu ne dormais pas; les coups de fusil t'ont réveillé.

– Vous croyez donc, mon cousin, que vos fusils font tant de bruit?

– Je suis bien sûr que tu as vu le Gianetto. Peut-être l'as-tu caché. Allons, camarades, entrez dans cette maison, et voyez si notre homme n'y est pas. Les traces de sang s'arrêtent ici.

– Et que dira papa"? demanda Fortunato, "que dira-t-il s'il sait qu'on est entré dans sa maison pendant qu'il était sorti?

– Vaurien!" dit l'adjudant en le prenant par l'oreille, "sais-tu qu'il ne tient qu'à moi de te faire changer de note?[13] Peut-être qu'en te donnant une vingtaine de coups de plat de sabre[14] tu parleras enfin.

– Mon père est Mateo Falcone!" dit Fortunato avec emphase.[15]

"Adjudant", dit tout bas un des soldats, "ne nous brouillons pas avec Mateo".

Gamba paraissait évidemment embarrassé. Il causait à voix basse avec ses soldats, qui avaient déjà visité toute la maison. Ce n'était pas une opération très longue, car la cabane d'un Corse ne consiste qu'en une seule pièce carrée. Cependant le petit Fortunato caressait sa chatte, et semblait jouir de la confusion des soldats et de son cousin.

Un soldat s'approcha du tas de foin. Il vit la chatte, et donna un coup de baïonnette dans le foin avec négligence,[16] et en haussant les épaules, comme s'il sentait que sa précaution était ridicule. Rien ne remua; et le visage de l'enfant ne montra pas la plus légère émotion.

L'adjudant, convaincu que les menaces ne produiraient aucune impression sur le fils de Falcone, voulut faire un dernier effort et tenter le pouvoir des présents.

"Petit cousin", dit-il, "tu me parais un gaillard bien éveillé![17] Tu iras loin. Sois brave garçon, et je te donnerai quelque chose". Et il tira de sa poche une montre d'argent qui valait bien dix écus.[18] Remarquant que les yeux du petit Fortunato étincelaient en le regardant, il lui dit en tenant la montre suspendue au bout de sa chaîne d'acier:

"Tu voudrais bien avoir une montre comme celle-ci suspendue à ton col, et tu te promènerais dans les rues; et les gens te demanderaient: 'Quelle heure est-il?' et tu leur dirais: 'Regardez à ma montre'.

– Quand je serai grand, mon oncle le caporal me donnera une montre.

– Oui; mais le fils de ton oncle en a déjà une et il est plus jeune que toi".

L'enfant soupira.

"Eh bien! la veux-tu, cette montre, petit cousin"?

Fortunato, regardant la montre du coin de l'oeil, ressemblait à un chat à qui l'on présente un poulet tout entier. Il n'avança pas la main; mais il dit avec un sourire amer: "Pourquoi vous moquez-vous de moi?

– Par Dieu! je ne me moque pas. Dis-moi seulement où est Gianetto, et cette montre est à toi".

En parlant ainsi, il approchait la montre, tant qu'elle touchait presque la joue pâle de l'enfant. Celui-ci montrait bien sur sa figure le combat qui se livrait[19] en son âme. Sa poitrine nue se soulevait avec force. Cependant la montre tournait et quelquefois lui heurtait le bout du nez. Enfin, peu à peu, sa main droite s'éleva vers la montre: le bout de ses doigts la toucha. . . . La tentation était trop forte.

Fortunato éleva sa main gauche, et indiqua du pouce, pardessus son épaule, le tas de foin. L'adjudant le comprit aussitôt. Il abandonna le bout de la chaîne; Fortunato se sentit seul possesseur de la montre. Il se leva vite et s'éloigna de dix pas du tas de foin, que les soldats se mirent aussitôt à culbuter.

Bientôt on vit le foin s'agiter; et un homme sanglant, le poignard à la main, en sortit. L'adjudant se jeta sur lui. Aussitôt on le garrotta fortement, malgré sa résistance.

Gianetto, couché par terre et lié comme un fagot, tourna la tête vers Fortunato.

"Fils de . . . !", lui dit-il avec plus de mépris que de colère.

L'enfant lui jeta la pièce d'argent qu'il en avait reçue, sentant qu'il avait cessé de la mériter; mais le bandit n'eut pas l'air de faire attention[20] à ce mouvement. Il dit avec beaucoup de sangfroid à l'adjudant:

"Mon cher Gamba, je ne puis marcher; vous allez être obligé de me porter à la ville.

– Sois tranquille",[21] répondit le cruel vainqueur: je suis si content de te tenir, que je te porterais une lieue sur mon dos sans être fatigué. Au reste, mon camarade, nous allons te faire une litière avec des branches et ta capote.

– Bien", dit le prisonnier, "vous mettrez aussi un peu de paille sur votre litière".

Pendant que les soldats s'occupaient à le faire, Mateo Falcone et sa femme parurent tout d'un coup au détour d'un sentier qui conduisait au maquis. La femme s'avançait courbée sous le poids d'un énorme sac de châtaignes, tandis que son mari ne portait qu'un fusil à la main et un autre en bandoulière.[22]

A la vue des soldats, la première pensée de Mateo fut qu'ils venaient pour l'arrêter.

"Femme", dit-il à Giuseppa, "mets bas ton sac et tiens-toi prête".

Il lui donna le fusil qu'il avait en bandoulière, arma celui qu'il avait à la main, et s'avança lentement vers sa maison. Sa femme marchait derrière lui.

L'adjudant était fort en peine[23] en voyant Mateo s'avancer ainsi, le fusil en avant[24] et le doigt sur la détente. Courageusement il s'avança seul vers lui pour lui conter l'affaire, mais le court intervalle qui le séparait de Mateo lui parut terriblement long.

"Holà! mon vieux camarade," criait-il, "comment cela va-t-il,[25] mon brave? C'est moi, je suis Gamba, ton cousin".

Mateo, sans répondre un mot, s'était arrêté.

"Bonjour, frère," dit l'adjudant en lui tendant la main. "Il y a bien longtemps que je ne t'ai vu.

– Bonjour, frère.

– J'étais venu pour te dire bonjour en passant, et à ma cousine Pepa. Nous avons fait une fameuse prise[26] aujourd'hui. Nous venons de prendre Gianetto Sanpiero.

– Dieu soit loué!" s'écria Giuseppa. "Il nous a volé une chèvre la semaine passée".

Ces mots réjouirent Gamba.

"Pauvre diable!" dit Mateo, "il avait faim.

– Le drôle s'est défendu comme un lion", poursuivit l'adjudant, "et il s'était si bien caché que le diable ne l'aurait pu découvrir.[27] Sans mon petit cousin Fortunato, je ne l'aurais jamais pu trouver.

– Fortunato!" s'écria Mateo.

"Fortunato!" répéta Giuseppa.

"Oui, le Gianetto s'était caché sous ce tas de foin là-bas; mais mon petit cousin m'a montré la ruse. Son nom et le tien seront dans le rapport que j'enverrai à M. l'avocat général.[28]

– Malédiction!" dit tout bas Mateo.

Ils avaient rejoint les soldats. Gianetto était déjà couché sur la litière et prêt à partir. Quand il vit Mateo en la compagnie de Gamba, il sourit d'un sourire étrange; puis, se tournant vers la porte de la maison, il cracha sur le seuil en disant:

"Maison d'un traître!"

Fortunato était entré dans la maison en voyant arriver son père. Il reparut bientôt avec une jatte de lait, qu'il présenta à Gianetto.

"Loin de moi!" lui cria le bandit.

Puis se tournant vers un des soldats:

"Camarade, donne-moi à boire", dit-il.

Le soldat mit sa gourde entre ses mains, et le bandit but l'eau. Puis l'adjudant donna le signal du départ, dit adieu à Mateo, qui ne lui répondit pas, et descendit vers la plaine.

Il se passa près de dix minutes,[29] avant que Mateo ouvrît la bouche. L'enfant regardait d'un oeil inquiet tantôt sa mère et tantôt son père, qui le considérait avec une expression de colère concentrée.

"Tu commences bien!" dit enfin Mateo.

"Mon père!" s'écria l'enfant en s'avançant les larmes aux yeux pour se jeter à ses genoux.

Mais Mateo lui cria:

"Arrière de moi!"

Et l'enfant s'arrêta, immobile, à quelques pas de son père.

Giuseppa s'approcha. Elle venait d'apercevoir la chaîne de la montre, dont un bout sortait de la chemise de Fortunato.

"Qui t'a donné cette montre"? demanda-t-elle d'un ton sévère.

"Mon cousin l'adjudant".

Falcone saisit la montre, et, la jetant avec force contre une pierre, il la mit en mille pièces.

"Femme", dit-il, "cet enfant est le premier de sa race qui ait fait une trahison".[30]

Les sanglots de Fortunato redoublèrent, et Falcone tenait ses yeux de lynx toujours attachés sur lui. Enfin, il frappa la terre de la crosse de son fusil et s'en alla vers le maquis, en criant à Fortunato de le suivre. L'enfant obéit.

Giuseppa courut après Mateo et lui saisit le bras.

"C'est ton fils", lui dit-elle d'une voix tremblante en attachant ses yeux noirs sur ceux de son mari, comme pour lire ce qui se passait dans son âme.

"Laisse-moi", répondit Mateo: "je suis son père".

Giuseppa embrassa son fils et entra en pleurant dans sa cabane. Elle se jeta à genoux devant une image de la Vierge et pria avec ferveur. Cependant Falcone marcha quelques deux cents pas dans le sentier et ne s'arrêta que dans un petit ravin où il descendit. Il sonda la terre avec la crosse de son fusil et la trouva molle et facile à creuser.

"Fortunato, va auprès de cette grosse pierre".

L'enfant fit ce qu'il lui commandait, puis il s'agenouilla.

"Dis tes prières.

– Mon père, mon père, ne me tuez pas!

– Dis tes prières"! répéta Mateo d'une voix terrible.

L'enfant, tout en sanglotant, récita le *Pater* et le *Credo*. Le père, d'une voix forte, répondait *Amen*! à la fin de chaque prière.

"Sont-ce toutes les prières que tu sais?

– Mon père, je sais encore l'*Ave Maria* et la litanie que ma tante m'a apprise.

– Elle est bien longue, n'importe".

L'enfant acheva la litanie.

"As-tu fini?

– Oh! mon père, grâce! pardonnez-moi! Je ne le ferai plus. Je prierai mon cousin de faire grâce au Gianetto!"

Il parlait encore; Mateo avait armé son fusil et le couchait en joue[31] en lui disant:

"Que Dieu te pardonne!"

L'enfant fit un dernier effort pour se relever et embrasser les genoux de son père; mais il n'en eut pas le temps. Mateo fit feu[32] et Fortunato tomba raide mort.[33]

Sans jeter un coup d'oeil sur le cadavre, Mateo reprit le chemin de sa maison pour aller chercher une bêche afin d'enterrer son fils. Il rencontra Giuseppa, qui accourait alarmée du coup de feu.

"Qu'as-tu fait"? s'écria-t-elle.

"Justice.

– Où est-il?

– Dans le ravin. Je vais l'enterrer. Il est mort en chrétien; je lui ferai chanter une messe".[34]

Notes

Prosper Mérimée, the son of a talented painter, was born in 1803. He was brought up in an atmosphere of art and literature, entered the civil service and was for 20 years Inspector of Historical Monuments. He travelled a good deal and wrote several well-known novels (*Chronique du Règne de Charles IX*,

Colomba, *Carmen*) and short stories (*Mateo Falcone*, *Tamango*, *Enlèvement de la Redoute*).

The main characteristics of all his writings are impersonality – he seems to stand outside his stories, relating them as an eye-witness with complete indifference – and conciseness – he concentrates within a few pages events which could be expanded into volumes. These are the hall-marks of the Realist School of writers and are very evident in *Mateo Falcone*, which Walter Pater has called "perhaps the cruellest story in the world".

Mérimée was made a senator by Napoleon III in 1853 and died in 1870, worn out by illness and distressed by the defeat of his country.

1 *maquis:* "bush" or "scrub". The maquis covers the hills in Corsica.
2 *son habileté au tir du fusil:* "his skill in rifle-shooting".
3 *toujours de plus en plus rapprochés:* "getting nearer and nearer all the time".
4 *coiffé d'un bonnet pointu:* "wearing on his head a pointed cap".
5 *un bandit:* here "an outlaw".
6 *Me laisseras-tu arrêter?:* "Will you let me be arrested?"
7 *pour faire croire:* "to make people think".
8 *cela fait:* "when that was done".
9 *un adjudant:* "N.C.O." (not English "adjutant", who is always an officer).
10 *quelque peu parent:* "a distant relative".
11 *comme te voilà grandi:* "how big you have grown!."
12 *il a pris par ce sentier:* " he has gone this way".
13 *qu'il ne tient qu'à moi de te faire changer de note:* "that it only depends on me to make you change your tune".
14 *coups de plat de sabre:* "blows with the flat of the sabre".
15 *emphase:* "exaggerated emphasis".

16 *avec négligence:* "carelessly".
17 *un gaillard bien éveillé:* "a wide-awake fellow".
18 *écus:* "crowns". An *Ecu* was an old coin worth 3 francs.
19 *le combat qui se livrait:* "the struggle that was going on".
20 *n'eut pas l'air de faire attention:* "did not seem to notice".
21 *sois tranquille:* "don't worry".
22 *en bandoulière:* "slung over his shoulder".
23 *était fort en peine:* "was very uneasy".
24 *le fusil en avant:* "with his rifle at the ready".
25 *comment cela va-t-il?:* "how are you?"
26 *une fameuse prise:* "an excellent capture".
27 *ne l'aurait pu découvrir:* "would not have been able to find him".
28 *M. l'avocat général:* "the public prosecutor".
29 *Il se passa près de dix minutes:* "about ten minutes passed".
30 *qui ait fait une trahison:* "who has acted treacherously" or "who has double-crossed some one".
31 *le couchait en joue:* "was taking aim".
32 *fit feu:* "fired".
33 *tomba raide mort:* "fell stone dead".
34 *je lui ferai chanter une messe:* "I will have a mass sung for him".

Théophile Gautier

LE PIED DE MOMIE

J'ÉTAIS ENTRÉ CHEZ UN DE CES MARCHANDS DE CURiosités,[1] dont les boutiques sont devenues si nombreuses à Paris.

"N'achèterez-vous rien aujourd'hui, monsieur?" dit le marchand. "Voilà des poignards et des épées qui sont très beaux".

"Non, j'ai assez d'armes et d'instruments de carnage;[2] je voudrais quelquechose pour servir de serre-papier".[3]

Le vieillard étala devant moi des bronzes antiques et de petites idoles; j'hésitais entre un dragon de porcelaine et une petite idole mexicaine, représentant le dieu Witziliputzili, quand j'aperçus un pied charmant que je pris d'abord pour un fragment de Vénus antique.

"Ce pied fera mon affaire",[4] dis-je au marchand, qui me regarda d'un air ironique et sournois en me tendant l'objet demandé. Je fus surpris de sa légèreté; ce n'était pas un pied de métal, mais bien un pied de chair, un pied embaumé, un pied de momie. On pouvait distinguer le grain de la peau.

"Ha! ha! vous voulez le pied de la princesse Hermonthis", dit le marchand, en fixant sur moi ses yeux de hibou: "Ha! ha! ha! pour un serre-papier! idée originale, idée d'artiste.

– Combien me vendrez-vous ce fragment de momie?

– Ah! le plus cher que je pourrai, car c'est un morceau superbe; si j'avais l'autre pied, vous ne l'auriez pas à moins de[5] cinq cents francs: la fille d'un Pharaon, rien n'est plus rare.

– Assurément cela n'est pas commun; mais enfin combien en voulez-vous? D'abord je vous avertis d'une chose, c'est que je ne possède que cinq louis;[6] j'achèterai tout ce qui coûtera cinq louis, mais rien de plus.

– Cinq louis le pied de la princesse Hermonthis, c'est bien peu, très peu en vérité, un pied authentique", dit le marchand en hochant la tête. "Allons, prenez-le, et je vous donne l'enveloppe par-dessus le marché",[7] ajouta-t-il en le roulant dans un vieux lambeau de damas.

Puis il me dit: "Le vieux Pharaon ne sera pas content, il aimait sa fille, ce cher homme".

Je rentrai chez moi très content de mon acquisition, et je posai le pied de la divine princesse Hermonthis sur un tas de lettres et de papiers sur ma table. L'effet était charmant.

Très satisfait, je descendis dans la rue et je m'en allai dîner avec quelques amis que je rencontrai.

Quand je revins le soir, il y avait une vague odeur de parfum oriental dans ma chambre. Je m'endormis bientôt et pendant une heure ou deux tout resta tranquille. Cependant je commençai à rêver. L'odeur du parfum était devenue plus forte et je sentais un léger mal de tête[8] que j'attribuais fort raisonnablement à quelques verres de vin de Champagne que nous avions bus ensemble.

Je regardais dans ma chambre avec un sentiment d'attente que rien ne justifiait; les meubles étaient en place, la lampe brûlait sur la table, les rideaux pendaient sans mouvement: tout avait l'air endormi et tranquille.

Cependant, au bout de quelques instants, cet intérieur si calme parut se troubler.[9] Je regardai par hasard la table sur laquelle j'avais posé le pied de la princesse Hermonthis.

Au lieu d'être immobile comme il convient à[10] un pied embaumé depuis quatre mille ans, il s'agitait et sautillait sur les papiers, comme une grenouille effarée; j'entendais très distinctement le bruit sec de son petit talon.

J'étais très mécontent de mon acquisition et je commençais à être effrayé. Tout à coup je vis remuer le pli d'un de mes rideaux. Je dois avouer que j'eus chaud et froid[11] alternativement. Les rideaux s'ouvrirent, et je vis s'avancer une figure très étrange.

C'était une jeune fille, d'une beauté parfaite et rappelant le type égyptien le plus pur. Son costume était très étrange et semblait appartenir à une momie. L'apparition n'avait qu'un seul pied, l'autre jambe était rompue à la cheville.

Elle se dirigea vers[12] la table où le pied de momie s'agitait avec un redoublement de vitesse. Arrivée là, elle s'appuya sur la table, et je vis une larme perler[13] dans ses yeux. Elle regardait le pied, car c'était bien le sien, avec une expression de tristesse.

Deux ou trois fois elle étendit sa main pour le saisir. Elle dit d'une voix douce:

"Eh bien! mon cher petit pied, vous me fuyez toujours, j'avais pourtant bien soin de vous. Je vous baignais d'eau parfumée, je polissais votre talon, et vos ongles étaient coupés avec des pinces d'or."

Le pied répondit: "Vous savez bien que je ne m'appartiens plus, j'ai été acheté et payé. Avez-vous cinq pièces d'or pour me racheter?

– Hélas! non. Mes anneaux, mes bourses d'or et d'argent, tout m'a été volé," répondit la princesse Hermonthis avec un soupir.

"Princesse", m'écriai-je alors, "je n'ai jamais retenu injustement le pied de personne: bien que vous n'ayez pas les cinq louis d'or qu'il m'a coûté, je vous le rends de bonne grâce".

Elle tourna vers moi un regard plein de reconnaissance, et ses yeux s'illuminèrent.

Elle prit son pied et l'ajusta à sa jambe avec beaucoup d'adresse. Cette opération terminée, elle fit deux ou trois pas dans la chambre. "Ah! comme mon père va être content. Venez avec moi chez lui, il vous recevra bien, vous m'avez rendu mon pied".

Je trouvai cette proposition toute naturelle; je mis une robe de chambre et je dis à la princesse Hermonthis que j'étais prêt à la suivre.

Hermonthis, avant de partir, détacha de son col une petite figurine de pâte verte[14] et la posa sur les papiers qui couvraient la table.

"Il est bien juste", dit-elle en souriant, "que je remplace votre serre-papier".

Elle me tendit sa main, qui était douce et froide comme une peau de serpent, et nous partîmes.

Nous volâmes pendant quelque temps et bientôt nous vîmes des pyramides et des obélisques.

Nous étions arrivés.

La princesse me conduisit devant une montagne de granit rose, où se trouvait une ouverture étroite et basse. Elle alluma une torche et se mit à marcher devant moi dans des corridors interminablement longs, saluant gracieusement les momies de sa connaissance.[15]

Enfin, nous entrâmes dans une salle énorme. Je vis, assis sur des trônes, des rois anciens aux[16] longues barbes blanches; derrière eux leurs peuples embaumés, et derrière les peuples des chats et des crocodiles embaumés.

Tous les Pharaons étaient là, et la princesse Hermonthis me présenta au Pharaon son père, qui me fit un signe de tête très majestueux.[17]

"J'ai retrouvé mon pied! j'ai retrouvé mon pied!" criait la princesse en frappant ses petites mains l'une contre l'autre; "c'est monsieur qui me l'a rendu".

Tous les peuples embaumés répétaient: "La princesse Hermonthis a retrouvé son pied!"

"Par Oms, chien des enfers, voilà un brave et digne garçon", dit le Pharaon en étendant vers moi son sceptre. "Que veux-tu pour ta récompense?"

Je lui demandai la main d'Hermonthis: la main pour le pied

me paraissait une bonne récompense.

Le Pharaon, surpris, ouvrit tout grands[18] ses yeux de verre.

"De quel pays es-tu et quel est ton âge?

– Je suis Français, et j'ai vingt-sept ans, vénérable Pharaon.

– Vingt-sept ans! et il veut épouser la princesse Hermonthis, qui a trente siècles!" s'écrièrent à la fois[19] tous les peuples.

"Si tu avais seulement deux mille ans", répondit le vieux Pharaon, "je te donnerais bien volontiers la princesse, mais la disproportion est trop grande. D'ailleurs, nos filles doivent prendre des maris qui durent, et vous ne savez plus vous conserver. Ma fille Hermonthis durera plus qu'une statue de bronze.

"Regarde comme je suis vigoureux encore et comme mes bras tiennent bien",[20] dit-il en me secouant la main.

Il me serra si fort que je m'éveillai, et j'aperçus mon ami Alfred qui me tirait par le bras et me secouait pour me faire lever.

"Il est plus de midi, tu ne te rappelles donc pas que tu m'avais promis de venir me prendre pour aller voir les tableaux espagnols de M. Aguado?

– Mon Dieu! je n'y pensais plus",[21] répondis-je en m'habillant; nous allons y aller; j'ai la permission ici sur ma table".

Je m'avançai pour la prendre; mais jugez de mon étonnement lorsqu'à la place du pied de momie que j'avais acheté hier, je vis la petite figurine de pâte verte mise à sa place par la princesse Hermonthis!

Notes

Théophile Gautier was born at Tarbes, in the Pyrenees, in 1811. He was a voracious reader, with a very retentive memory. He also had a great love of painting and his style, with its minute perfection of detail, is often that of a painter rather than a writer. He uses words as an artist uses colours. His story *Le Pied de Momie*, with its humorous contrast between ancient civilisation and modern life, is a good example of this.

He was a great supporter of the Romantic Movement, though his impersonal method of narrating identified him with the Realist School. For 36 years he was art and dramatic critic to the press, but found time to travel and write books such as *Voyage en Espagne*, *Voyage en Italie*, *Le Capitaine Fracasse* and a collection of poems *Emaux et Camées*.

He died in 1872, at the age of 61, his health impaired by the physical privations he suffered by the events of 1870 and the siege of Paris.

1 *marchands de curiosités:* "second-hand dealers".
2 *instruments de carnage:* "instruments of slaughter".
3 *serre-papier:* "paper-weight".
4 *Ce pied fera mon affaire:* "This foot will do me well".
5 *à moins de:* "for less than".
6 *louis:* old gold coin issued in reign of Louis XIII; now worth 20 francs.
7 *par-dessus le marché:* "into the bargain".
8 *mal de tête:* "head-ache".
9 *se troubler:* "to become disturbed".
10 *comme il convient à:* "as becomes".
11 *j'eus chaud et froid:* "I became hot and cold".
12 *se dirigea vers:* "made for".
13 *perler:* "glisten".
14 *une petite figurine de pâte verte:* "a little figure of green paste".
15 *de sa connaissance* "whom she knew".
16 *aux:* "with".

17 *qui me fit un signe de tête très majestueux:* "who gave me a very majestic nod".

18 *ouvrit tout grands:* "opened wide".

19 *à la fois:* "all together".

20 *comme mes bras tiennent bien:* "how firmly my arms hold".

21 *je n'y pensais plus:* "I had forgotten all about it".

Victor Hugo

JEAN VALJEAN

DANS LES PREMIERS JOURS DU MOIS D'OCTOBRE 1815, une heure environ avant le coucher du soleil, un homme qui voyageait à pied entrait dans la petite ville de D—. Les habitants regardaient ce voyageur avec une sorte d'inquiétude. Il était difficile de rencontrer un passant d'un aspect plus misérable.

Il pouvait avoir[1] quarante-six ou quarante-sept ans. Il était vêtu de haillons; il avait sur le dos un sac de soldat[2] et il portait à la main un énorme bâton noueux. Personne ne le connaissait. Il paraissait très fatigué et se dirigea vers une auberge. Il entra dans la cuisine, où un grand feu flambait gaîment.

"Que veut monsieur?", dit l'hôte.

"Manger et coucher", dit l'homme.

"Rien de plus facile",[3] reprit l'hôte, "en payant". L'homme tira une grosse bourse de cuir de sa poche et répondit: "J'ai de l'argent.

– En ce cas on est à vous",[4] dit l'hôte.

L'homme remit sa bourse en poche, posa son sac à terre et alla s'asseoir près du feu.

Cependant, tout en allant et venant, l'hôte considérait le voyageur.

"Dîne-t-on bientôt?" dit l'homme.

"Tout à l'heure", dit l'hôte.

Pendant que le voyageur se chauffait, le dos tourné, le digne aubergiste tira un crayon de sa poche et écrivit quelques mots sur le coin d'un vieux journal qui se trouvait sur une petite table près de la fenêtre. Il donna ce chiffon de papier à un enfant qui paraissait lui servir de laquais, et dit un mot à son oreille.

L'enfant partit en courant dans la direction de la mairie.

Le voyageur n'avait rien vu de tout cela.

Il demanda encore une fois: "Dîne-t-on bientôt?

– Tout à l'heure", dit l'hôte.

L'enfant revint. Il rapportait le papier. L'hôte le lut attentivement, puis hocha la tête et resta un moment pensif. Enfin il fit un pas vers le voyageur et dit: "Monsieur, je ne puis vous recevoir.

– Comment?" dit le voyageur, "avez-vous peur que je ne paie pas? J'ai de l'argent, vous dis-je.

– Ce n'est pas cela.

– Quoi donc?

– Vous avez de l'argent. . . .

– Oui," dit l'homme.

"Et moi", dit l'hôte, "je n'ai pas de chambre".

L'homme reprit tranquillement: "Mettez-moi à l'écurie.

– Je ne puis.

– Pourquoi?

– Les chevaux prennent toute la place.

– Eh bien!" répondit l'homme, "un coin dans le grenier. Nous verrons cela après le dîner.

– Je ne puis vous donner à dîner".

Cette déclaration parut grave à l'étranger. Il se leva.

"Ah bah! mais je meurs de faim, moi. J'ai marché douze lieues. Je paie. Je veux manger.

– Je n'ai rien", dit l'hôte.

L'homme se rassit et dit sans hausser la voix:

"Je suis à l'auberge, j'ai faim et je reste".

L'hôte alors se pencha à son oreille et lui dit: "Allez-vous-en".

Le voyageur était courbé en cet instant et poussait quelques braises dans le feu avec le bout de son bâton; il se retourna vivement et, comme il ouvrait la bouche pour répliquer, l'hôte le regarda fixement et ajouta à voix basse:

"Tenez,[5] assez de paroles. Voulez-vous que je vous dise votre nom? Vous vous appelez Jean Valjean. Maintenant voulez-vous que je vous dise qui vous êtes? En vous voyant entrer, je me suis douté de quelque chose,[6] j'ai envoyé à la mairie et voici ce qu'on m'a répondu. Savez-vous lire?"

En parlant ainsi il tendait à l'étranger le papier. L'homme y jeta un regard. L'aubergiste reprit après un silence:

"J'ai l'habitude d'être poli avec tout le monde. Allez-vous-en".

L'homme baissa la tête, ramassa son sac et s'en alla.

Il prit la grande rue. Il marchait devant lui au hasard[7] comme un homme humilié et triste.

Il passa devant la prison. A la porte pendait une chaîne de fer attachée à une cloche. Il sonna.

Un guichet s'ouvrit.

"Monsieur", dit-il respectueusement, "voudriez-vous bien m'ouvrir et me loger pour cette nuit?"

Une voix répondit:

"Une prison n'est pas une auberge. Faites-vous arrêter,[8] on vous ouvrira".

Le guichet se ferma.

Il pouvait être[9] huit heures du soir, et il recommença sa promenade.

Enfin, épuisé de fatigue et n'espérant plus rien, il se coucha sur un banc de pierre.

Une vieille femme sortait de l'église en ce moment. Elle vit cet homme étendu dans l'ombre.

"Que faites-vous là, mon ami?" dit-elle.

Il répondit durement et avec colère: "Vous le voyez, bonne femme, je me couche.

– Sur ce banc?" reprit-elle.

"J'ai eu pendant dix-neuf ans un matelas de bois," dit l'homme, "j'ai aujourd'hui un matelas de pierre.

– Vous avez été soldat?
– Oui, bonne femme. Soldat.
– Pourquoi n'allez-vous pas à l'auberge?
– Parce que je n'ai pas d'argent."

La bonne femme toucha le bras de l'homme et lui montra de l'autre côté[10] de la place une petite maison.

"Avez-vous frappé à cette porte-là ?
– Non.
– Frappez-y".

. . . .

Ce soir-là, M. l'évêque de D— était resté assez tard enfermé dans sa chambre. Il travaillait encore à huit heures, quand madame Magloire entra pour prendre l'argenterie dans le placard[11] près du lit. Un moment après, l'évêque sentant que le couvert était mis[12] et que sa soeur l'attendait peut-être, ferma son livre et entra dans la salle à manger.

Madame Magloire causait avec mademoiselle Baptistine.

Une lampe était sur la table; la table était près de la cheminée. Un assez bon feu était allumé.

On peut se figurer facilement ces deux femmes qui avaient toutes deux passé soixante ans: madame Magloire petite, grosse, vive; mademoiselle Baptistine douce, mince, frêle, un peu plus grande que son frère.

On frappa à la porte un coup assez violent.

"Entrez", dit l'évêque.

La porte s'ouvrit.

Un homme entra.

Cet homme, nous le connaissons déjà. C'est le voyageur que nous avons vu tout à l'heure.

Il entra, fit un pas et s'arrêta, laissant la porte ouverte derrière lui. Il avait son sac sur l'épaule, son bâton à la main, une expression rude, fatiguée et violente dans les yeux. Il était hideux. C'était une sinistre apparition.

Madame Magloire n'eut pas même la force de jeter un cri. Elle tressaillit.

Mademoiselle Baptistine se retourna, aperçut l'homme qui entrait et se dressa à demi d'effroi,[13] puis ramenant peu à peu sa tête vers la cheminée, elle se mit à regarder son frère et son visage devint profondément calme.

L'évêque fixait sur l'homme un oeil tranquille.

Comme il ouvrait la bouche, sans doute pour demander à l'homme ce qu'il désirait, l'homme dit d'une voix haute:

"Je m'appelle Jean Valjean. Je suis un galérien.[14] J'ai passé dix-neuf ans au bagne[15]. Je suis libéré depuis quatre jours et en route pour Pontarlier qui est ma destination. Quatre jours que je marche depuis Toulon. Aujourd'hui j'ai fait douze lieues à pied. Ce soir j'ai été dans une auberge. On m'a dit: 'Va-t'en'. J'ai été à la prison, le guichetier n'a pas voulu de moi. Dans la place, j'allais me coucher sur une pierre, une bonne femme m'a montré votre maison et m'a dit: 'Frappez là!' J'ai frappé. Qu'est-ce que c'est ici? êtes-vous une auberge? J'ai de l'argent. Cent neuf francs quinze sous que j'ai gagnés au bagne par mon travail en dix-neuf ans. Je paierai. Je suis très fatigué, douze lieues à pied, j'ai bien faim. Voulez-vous que je reste?[16]

– Madame Magloire," dit l'évêque, "vous mettrez un couvert de plus".[17]

L'homme fit trois pas et s'approcha de la lampe qui était sur la table. "Tenez", reprit-il, comme s'il n'avait pas bien compris, "avez-vous entendu? Je suis un galérien. Un forçat. Je viens des galères".

Il tira de sa poche une grande feuille de papier jaune qu'il déplia. "Voilà mon passeport. Jaune, comme vous voyez. Voulez-vous lire? Tenez, voilà ce qu'on a mis sur le passeport: 'Jean Valjean, forçat libéré, est resté dix-neuf ans au bagne.

Cet homme est très dangereux'. Voilà. Tout le monde m'a jeté dehors. Voulez-vous me recevoir, vous? Est-ce une auberge? Voulez-vous me donner à manger et à coucher? Avez-vous une écurie?

– Madame Magloire," dit l'évêque, "vous mettrez des draps blancs au lit de l'alcôve". L'évêque se tourna vers l'homme:

"Monsieur, asseyez-vous et chauffez-vous. Nous allons souper dans un instant, et l'on fera votre lit pendant que vous souperez."

Ici l'homme comprit tout à fait. Il se mit à balbutier comme un homme fou:

"Vrai? moi? vous me gardez? vous ne me chassez pas? un forçat? vous m'appelez monsieur? Je croyais bien que vous me chasseriez. Vous êtes de dignes gens. D'ailleurs j'ai de l'argent. Je paierai bien. Pardon, monsieur l'aubergiste, comment vous appelez-vous? Vous êtes un brave homme. Vous êtes aubergiste, n'est-ce pas?

– Je suis", dit l'évêque, "un prêtre qui demeure ici.

– Un prêtre!" reprit l'homme. "Oh! un brave homme de prêtre! alors vous ne me demandez pas d'argent? le curé, n'est-ce pas? le curé de cette grande église?"

Tout en parlant il avait déposé son sac et son bâton dans un coin et s'était assis. Mademoiselle Baptistine le considérait avec douceur. Il continua:

"Vous êtes humain, monsieur le curé. C'est bien un bon prêtre. Alors vous n'avez pas besoin que je paie?

– Non", dit l'évêque, "gardez votre argent. Combien avez-vous? ne m'avez-vous pas dit cent neuf francs?

– Quinze sous", ajouta l'homme.

"Cent neuf francs quinze sous. Et combien de temps avez-vous mis[18] à gagner cela?

– Dix-neuf ans.

– Dix-neuf ans!"

L'homme poursuivit: "Puisque vous êtes abbé, je vais vous dire, nous avions un aumônier au bagne. Et puis un jour j'ai vu un évêque. Monseigneur qu'on l'appelle.[19] Il a dit la messe au milieu du bagne, sur un autel. Il avait une chose pointue, en or, sur la tête. Nous étions en rang, avec les canons en face de nous. Nous ne voyions pas bien. Il a parlé, mais il était trop loin, nous n'entendions pas. Voilà ce que c'est qu'un évêque".

Pendant qu'il parlait, madame Magloire rentra. Elle apportait un couvert qu'elle mit sur la table.

"Madame Magloire", dit l'évêque, "mettez ce couvert le plus près possible du feu". Et se tournant vers son hôte: "Le vent de nuit est dur dans les Alpes. Vous devez avoir froid, monsieur".

Chaque fois qu'il disait ce mot monsieur avec sa voix doucement grave, le visage de l'homme s'illuminait.

"Voici", reprit l'évêque, "une lampe qui éclaire bien mal".

Madame Magloire comprit, et elle alla chercher sur la cheminée de la chambre à coucher de monseigneur les deux chandeliers d'argent qu'elle posa sur la table tout allumés.

"Monsieur le curé," dit l'homme, "vous êtes bon. Vous me recevez chez vous. Vous allumez vos cierges pour moi. Je ne vous ai pourtant pas caché d'où je viens et que je suis un homme malheureux".

L'évêque, assis près de lui, lui toucha doucement la main: "Ce n'est pas ici ma maison, c'est la maison de Jésus-Christ. Cette porte ne demande pas à celui qui entre s'il a un nom, mais s'il a une douleur. Vous souffrez; vous avez faim et soif; soyez le bienvenu.[20] Qu'ai-je besoin de savoir votre nom? D'ailleurs, je le savais déjà".

L'homme ouvrit des yeux étonnés:

"Vrai? vous saviez comment je m'appelle?

– Oui", répondit l'évêque, "vous vous appelez mon frère. Vous avez bien souffert?

– Oh! le boulet au pied,[21] une planche pour dormir, le chaud, le froid, le travail, les coups de bâton, la double chaîne pour rien, le cachot pour un mot. Les chiens, les chiens sont plus heureux! dix-neuf ans! j'en ai quarante-six. A présent le passeport jaune. Voilà.

– Oui", reprit l'évêque, "vous sortez d'un lieu de tristesse. Écoutez. Il y aura plus de joie au ciel pour le visage en larmes d'un pécheur repentant que pour la robe blanche de cent justes. Si vous sortez de ce lieu douloureux avec des pensées de haine et de colère contre les hommes, vous êtes digne de pitié; si vous en sortez avec des pensées de bienveillance, de douceur et de paix, vous valez mieux[22] qu'aucun de nous".

L'évêque servit lui-même la soupe. L'homme se mit à manger avidement.

Après avoir donné le bonsoir[23] à sa soeur, monseigneur Bienvenu prit sur [24] la table un des deux flambeaux d'argent, remit l'autre à son hôte, et lui dit: "Monsieur, je vais vous conduire à votre chambre".

L'homme le suivit.

Pour aller à l'alcôve, il fallait traverser la chambre à coucher de l'évêque.

Au moment où il traversait cette chambre, madame Magloire serrait l'argenterie dans le placard qui était près du lit. C'était le dernier soin qu'elle prenait[25] chaque soir avant d'aller se coucher.

L'évêque installa son hôte dans l'alcôve. Un lit blanc et frais y était dressé. L'homme posa le flambeau sur une petite table.

"Allons", dit l'évêque, "faites une bonne nuit. Demain matin, avant de partir, vous boirez une tasse de lait de nos vaches.

– Ah ça? décidément![26] vous me logez chez vous, près de vous comme cela! Avez-vous bien fait toutes vos réflexions? Qui est-ce qui vous dit que je n'ai pas assassiné?"

L'évêque répondit: "Cela regarde le bon Dieu".

Puis, gravement et remuant les lèvres comme quelqu'un qui prie il dressa les deux doigts de sa main droite et bénit l'homme et, sans tourner la tête, et sans regarder derrière lui, il rentra dans sa chambre.

Quant à l'homme, il était vraiment si fatigué qu'il n'avait même pas profité de ces bons draps blancs. Il avait soufflé sa bougie et s'était laissé tomber tout habillé[27] sur le lit.

. . . .

Jean Valjean était d'une pauvre famille de paysans. Dans son enfance il n'avait pas appris à lire. Quand il eut l'âge d'homme, il devint émondeur. Sa mère était morte. Son père, émondeur comme lui, s'était tué[28] en tombant d'un arbre. Il n'était resté à Jean Valjean qu'une soeur plus âgée que lui, veuve, avec sept enfants. Cette soeur avait élevé Jean Valjean, et tant qu'elle eut son mari elle logea son jeune frère.

Le mari mourut. L'aîné des sept enfants avait huit ans, le dernier un an. Jean Valjean avait vingt-quatre ans. Il remplaça le père et soutint sa soeur et sa famille. Sa soeur travaillait aussi, mais que faire avec sept petits enfants? C'était un triste groupe. Il arriva qu'un hiver fut rude. Jean n'eut pas de travail. La famille n'eut pas de pain. Pas de pain. Sept enfants.

Un dimanche soir un boulanger entendit un coup violent dans sa boutique. Il arriva à temps pour voir un bras passé à travers un trou fait dans la vitre. Le bras saisit un pain et l'emporta. Le boulanger sortit en hâte. Il courut après le voleur et l'arrêta. C'était Jean Valjean.

Ceci se passait en 1795. Jean Valjean fut condamné à cinq ans de galères. Il fut envoyé à Toulon. Il devint le numéro 24601. Vers la fin de sa quatrième année, il s'évada. Après deux jours il fut repris. Il fut condamné à une prolongation de trois ans, ce qui fit huit ans.

La sixième année il s'évada de nouveau. La même nuit il fut repris: il résista aux gardes qui le saisirent. Ce fut puni d'une prolongation de cinq ans. Treize ans. La dixième année il essaya encore une fois,[29] mais il ne réussit pas mieux. Trois ans pour cette nouvelle tentative. Seize ans. Enfin, pendant la treizième année il essaya une dernière fois et fut repris après quatre heures d'absence. Trois ans pour ces quatre heures. Dix-neuf ans.

En octobre 1815 il fut libéré; il était entré là en 1796 pour avoir cassé une vitre et pris un pain.

. . . .

Comme deux heures du matin sonnaient à l'horloge de la cathédrale, Jean Valjean se réveilla. Ce qui le réveilla, c'est que le lit était trop bon.

Il avait dormi plus de quatre heures. Sa fatigue était passée. Il se mit à penser. Beaucoup de pensées lui venaient, mais il y en avait une qui chassait toutes les autres:—Il avait remarqué les six couverts d'argent et la grande cuillère que madame Magloire avait posés sur la table.

Ces six couverts d'argent l'obsédaient. Ils étaient là. A quelques pas. A l'instant où il avait traversé la chambre à coucher de l'évêque, la vieille servante les mettait dans un petit placard à la tête du lit. Ils étaient massifs. Et de vieille argenterie. Avec la grande cuillère, on en tirerait[30] au moins deux cents francs. Le double de ce qu'il avait gagné en dix-neufs ans.

Trois heures sonnèrent. Il resta un certain temps rêveur. Trois heures et demie. Il se leva, hésita encore un moment et écouta; tout se taisait dans la maison: il marcha vers la fenêtre. La nuit n'était pas très obscure; c'était une pleine lune. Jean Valjean examina la fenêtre. Elle était sans barreaux et donnait sur le jardin.

Après ce coup d'oeil, il fit le mouvement d'un homme déterminé, marcha à son alcôve, prit son havresac, en tira quelque chose qui ressemblait à une barre de fer courte, mit ses souliers dans une de ses poches, chargea le sac sur ses épaules et se couvrit de sa casquette dont il baissa la visière sur ses yeux.

Il se dirigea vers la porte de la chambre voisine, celle de l'évêque. L'évêque ne l'avait pas même fermée.

Jean Valjean écouta. Aucun bruit.[31]

Il poussa la porte du bout du doigt, légèrement.

La porte fit un mouvement silencieux. Il attendit un moment, puis poussa la porte une seconde fois. Un gond jeta tout à coup un cri prolongé. Jean Valjean tressaillit. Un moment il se crut perdu.

Il demeura où il était, pétrifié, n'osant faire un mouvement. Quelques minutes passèrent. Il entra dans la chambre.

La lune éclairait le visage pâle de l'évêque. Il dormait paisiblement. Il laissait pendre hors du lit sa main ornée de l'anneau pastoral. Toute sa face s'illuminait d'une expression de béatitude.

Jean Valjean restait dans l'ombre, immobile. Jamais il n'avait rien vu de pareil.[32] Cette confiance l'épouvantait. Il regardait. Quelle était sa pensée? Impossible de le deviner.

Au bout de quelques instants, son bras gauche se leva lentement vers son front, et il ôta sa casquette, puis son bras retomba avec la même lenteur, et Jean Valjean rentra dans sa contemplation.

L'évêque continuait de dormir dans une paix profonde.

Au clair de la lune le crucifix au-dessus de la cheminée semblait leur ouvrir les bras à tous les deux, avec une bénédiction pour l'un et un pardon pour l'autre.

Tout à coup Jean Valjean remit sa casquette sur son front, puis marcha rapidement, le long du lit, sans regarder l'évêque, droit au placard; la clef y était; il l'ouvrit; la première chose qui lui apparut fut le panier d'argenterie;[33] il le prit, traversa la chambre à grands pas, gagna la porte, rentra dans l'alcôve, ouvrit la fenêtre, saisit son bâton, sauta dans le jardin, mit l'argenterie dans son sac, jeta le panier, et s'enfuit.

. . . .

Le lendemain, au soleil levant,[34] monseigneur Bienvenu se promenait dans son jardin. Madame Magloire accourut vers lui: "Monseigneur, monseigneur," cria-t-elle, "savez-vous où est le panier d'argenterie?

– Oui", dit l'évêque.

"Dieu soit loué!" reprit-elle. "Je ne savais ce qu'il était devenu."

L'évêque venait de ramasser le panier dans une plate-bande. Il le présenta à madame Magloire.

"Le voilà!

– Eh bien!" dit-elle. "Rien dedans! et l'argenterie?

– Ah!" répondit l'évêque. "C'est donc l'argenterie qui vous occupe? Je ne sais où elle est.

– Grand Dieu! elle est volée! c'est l'homme d'hier soir qui l'a volée!"

En un clin d'oeil,[35] madame Magloire courut à la chambre à coucher, entra dans l'alcôve et revint vers l'évêque.

"Monseigneur, l'homme est parti! l'argenterie est volée!"

L'évêque resta un moment silencieux, puis leva un oeil sérieux, et dit à madame Magloire avec douceur:

"Et d'abord, cette argenterie était-elle à nous? Elle était aux pauvres. Qui était-ce que cet homme? Un pauvre évidemment".

Quelques instants après, il déjeunait à cette même table où Jean Valjean s'était assis la veille. Tout en déjeunant, monseigneur Bienvenu remarquait gaîment à sa soeur et à madame Magloire qu'on n'a besoin ni d'une cuillère ni d'une fourchette pour tremper un morceau de pain dans une tasse de lait.

D

Comme le frère et la soeur allaient se lever de table, on frappa à la porte.

"Entrez", dit l'évêque.

La porte s'ouvrit. Un groupe étrange et violent apparut. Trois hommes en tenaient un quatrième au collet. Les trois hommes étaient des gendarmes; l'autre était Jean Valjean.

Un brigadier[36] de gendarmerie, qui semblait conduire[37] le groupe, était près de la porte. Il entra et s'avança vers l'évêque en faisant le salut militaire.

"Monseigneur", dit-il. . . .

A ce mot Jean Valjean releva la tête d'un air stupéfait.

"Monseigneur", murmura-t-il. "Ce n'est donc pas le curé. . . ."

"Silence", dit un gendarme. "C'est monseigneur l'évêque".

Cependant monseigneur Bienvenu s'était approché aussi vivement que son grand âge le lui permettait.

"Ah! vous voilà!" s'écria-t-il en regardant Jean Valjean. "Je suis aise de vous voir. Eh bien, mais! je vous avais donné les chandeliers aussi, qui sont en argent comme le reste. Pourquoi ne les avez-vous emportés avec vos couverts?"

Jean Valjean ouvrit les yeux et regarda le vénérable évêque avec une expression qu'aucune langue humaine ne pourrait rendre.[38]

"Monseigneur", dit le brigadier de gendarmerie, "ce que cet homme disait était donc vrai? Nous l'avons rencontré. Il s'enfuyait. Nous l'avons arrêté. Il avait cette argenterie. . . .

– Et il vous a dit", interrompit l'évêque en souriant, "qu'elle lui avait été donnée par un vieux prêtre chez lequel il avait passé la nuit? Je vois la chose. Et vous l'avez ramené ici? C'est une méprise.

– Nous pouvons le laisser aller?" reprit le brigadier.

"Sans doute", répondit l'évêque.

Les gendarmes lâchèrent Jean Valjean.

"Est-ce que c'est vrai qu'on me laisse?" dit-il d'une voix presque inarticulée et comme s'il parlait dans le sommeil.

"Oui, on te laisse, tu n'entends donc pas?" dit un gendarme.

"Mon ami", reprit l'évêque, "avant de vous en aller, voici vos chandeliers. Prenez-les".

Il alla à la cheminée, prit les deux flambeaux d'argent et les apporta à Jean Valjean. Les deux femmes le regardaient faire sans un mot, sans un geste.

Jean Valjean tremblait de tous ses membres.[39] Il prit les deux chandeliers machinalement et d'un air égaré.

"Maintenant," dit l'évêque, "allez en paix. A propos, quand vous reviendrez, mon ami, il est inutile de[40] passer par le jardin. Vous pouvez toujours entrer et sortir par la porte de la rue."

Puis se tournant vers la gendarmerie:

"Messieurs, vous pouvez vous retirer".

Les gendarmes s'en allèrent.

Jean Valjean était comme un homme qui va s'évanouir.

L'évêque s'approcha de lui, et lui dit à voix basse:

"N'oubliez jamais que vous m'avez promis d'employer cet argent à devenir honnête homme".

Jean Valjean, qui n'avait aucun souvenir d'avoir rien promis, resta interdit.

L'évêque continua avec solennité:

"Jean Valjean, mon frère, vous n'appartenez plus au mal, mais au bien. C'est votre âme que je vous achète; je la retire aux pensées noires et je la donne à Dieu".

Notes

Victor Hugo was born at Besançon on February 26th 1802, the son of a gallant general of the Empire. His early years were spent in Italy and Spain where his father was campaigning. As a schoolboy he showed considerable promise and at 16 won the Academy Prize for two Odes. Later poetical works *Les Feuilles d'Automne*, *Les Rayons et les Ombres*, and *Les Contemplations* raised him to the highest place as a writer of lyric verse. He was the acknowledged leader of the Romantic Movement. As a dramatist he became famous with such plays as *Hernani*, *Ruy Blas* and *Les Burgraves*. Of his novels, *Notre-Dame de Paris*, *Les Misérables* (from which the story of *Jean Valjean* is taken), *Les Travailleurs de la Mer* and *Quatre-vingt-treize* are the best known.

He entered politics as a democrat at the Revolution of 1848. He opposed Louis-Napoleon who was out to gain personal power and when, in 1851, Napoleon seized autocratic power by a coup d'état and set up the Second Empire, Hugo fled the country and remained in exile in Jersey and Guernsey until 1870. He returned to France a popular hero, was elected to the National Assembly and later became a Senator. He died, France's Grand Old Man, on May 18th 1885 at the age of 83. He was given a funeral worthy of an emperor and millions of mourners lined the route to the Panthéon, where he lies buried.

1 *Il pouvait avoir:* "He might have been".
2 *un sac de soldat:* "a knapsack".
3 *Rien de plus facile:* "Nothing is easier".
4 *on est à vous:* "I am at your service".
5 *Tenez:* "Look".
6 *je me suis douté de quelque chose:* "I suspected something".

7 *Il marchait devant lui au hasard:* "He walked straight ahead at random".
8 *Faites-vous arrêter:* "Get yourself arrested".
9 *Il pouvait être:* "It was about".
10 *de l'autre côté:* "on the other side".
11 *dans le placard:* "from the cupboard".
12 *le couvert était mis:* "the table was set".
13 *se dressa à demi d'effroi:* "half stood up in fright".
14 *un galérien:* "a galley-slave".
15 *au bagne:* "in a convict-prison".
16 *Voulez-vous que je reste?:* "Shall I stay?"
17 *vous mettrez un couvert de plus:* "you will set another place" (couvert—knife, fork, spoon, etc.)
18 *avez-vous mis:* "have you taken".
19 *Monseigneur qu'on l'appelle:* "My lord, they call him".
20 *soyez le bienvenu:* "you are welcome".
21 *le boulet au pied:* "a cannon-ball chained to my foot" (punishment for a convict).
22 *vous valez mieux:* "you are worth more".
23 *après avoir donné le bonsoir:* "after saying goodnight".
24 *prit sur:* "took from".
25 *C'était le dernier soin qu'elle prenait:* "It was the last thing she saw to".
26 *Ah ça! décidément!:* "I say,! really!"
27 *s'était laissé tomber tout habillé:* "had dropped fully dressed".
28 *s'était tué:* "had been killed".
29 *encore une fois:* "once again".
30 *on en tirerait:* "one would get for them".
31 *Aucun bruit:* "Not a sound".
32 *Jamais il n'avait rien vu de pareil:* "He had never seen anything like it".
33 *le panier d'argenterie:* "the basket of silver".
34 *au soleil levant:* "at sunrise".

35 *En un clin d'oeil:* "In a flash".
36 *Un brigadier:* "corporal".
37 *conduire:* "to be in charge of".
38 *rendre:* "to express".
39 *tremblait de tous ses membres:* "was trembling all over".
40 *il est inutile de:* "there is no need to".

Vocabulary

abandonner, to abandon, let go
un *abbé*, abbot, priest
d'abord, first, at first
une *absence*, absence
absent, absent
accompagner, to accompany
accourir, to run up
acheter, to buy
achever, to finish
l' *acier* (*m*), steel
une *acquisition*, purchase
actif, active
adieu, goodbye
un *adjudant*, N.C.O.
l' *adresse* (*f*),skill
une *affaire*, matter, affair
affamé, starving
afin de, in order to
l' *âge* (*m*), age
âgé, aged, old
s' *agenouiller*, to kneel down
agiter, to shake, move
s' *agiter*, to move about
une *aile*, wing
d' *ailleurs*, besides
aimer, to love
aîné, elder
ainsi, thus
l' *air* (*m*), air
aise, glad
ajouter, to add
ajuster, to fit
alarmer, to alarm
une *alcôve*, alcove, recess
allemand, German
aller, to go
s'en aller, to go away
allons! now then!
allumer, to light up
les *Alpes* (*f*), Alps
alternativement, in turns
une *âme*, soul
amener, to bring, lead
amer, bitter
un *ami*, friend
un *an*, year
ancien, ancient
un *âne*, ass
un *ange*, angel
un *animal*, animal
un *anneau*, ring
une *année*, year
antique, old
anxieusement, anxiously
apercevoir, to perceive
apparaître, to appear
une *apparition*, apparition
appartenir, to belong
appeler, to call
s' *appeler*, to be called
apporter, to bring
apprendre, to teach, learn
approcher, to bring forward, advance
s' *approcher*, to approach
s' *appuyer*, to lean

aquilin, aquiline
un *arbre*, tree
l' *argent* (*m*), money
argenté, silvery
l' *argenterie* (*f*), silver
une *arme*, weapon
une *arme à feu*, fire-arm
armer, to load
arranger, to arrange
arrêter, to stop, arrest
s' *arrêter*, to stop
arrière, behind
arriver, to arrive, happen
un *artiste*, artist
un *aspect*, aspect
assassiner, to murder
s' *asseoir*, to sit, sit down
assez, fairly, enough
assis, seated
assurément, surely, assuredly
attacher, to bind, attach, tie
attendre, to wait, wait for
une *attente*, expectation
attentivement, attentively
s' *attirer*, to gain
attribuer, to attribute
une *auberge*, inn
un *aubergiste*, innkeeper
au-dessous, below
aujourd'hui, today
un *aumônier*, chaplain
auprès de, near, near to
une *aurore*, dawn
aussi, also
aussi . . . que, as . . . as
aussitôt, at once
un *autel*, altar
authentique, genuine
l' *automne* (*m*), autumn
autour, around
autre, other
avancer, to put forward
s' *avancer*, to advance
un *avant-poste*, outpost
avertir, to warn
avidement, greedily
avouer, to admit

le *bagne*, convict-prison
baigner, to bathe, wash
la *baïonnette*, bayonet
baisser, to lower
balancer, to swing
balbutier, to stammer
le *bambou*, bamboo
le *banc*, bench
le *bandit*, bandit, outlaw
la *barbe*, beard
barbu, bearded
la *barque*, boat
la *barre*, bar
le *barreau*, bar
bas (*adj.*), soft, low
bas (*adv.*), down
le *bâton*, stick
battre, to beat
la *béatitude*, blessedness
beau, fine, good
beaucoup, much, many
la *beauté*, beauty
la *bêche*, spade
la *bénédiction*, blessing

bénir, to bless
la *berge*, bank
les *besicles* (*f*), spectacles
le *besoin*, need
la *bête*, animal, creature
le *bien*, good
bientôt, soon
la *bienveillance*, goodwill
blanc, white, blank
blesser, to wound
bleu, blue
bloqué, blockaded
se *blottir*, to crouch down
boire, to drink
la *boîte*, box
bonjour, good-day
le *bonnet*, cap
le *bord*, edge
la *botte*, boot, hoof
la *bouche*, mouth
la *bougie*, candle
le *bouillon*, bubble
le *boulanger*, baker
le *boulevard*, boulevard
la *bourse*, purse
le *bout*, end, tip
la *boutique*, shop
la *braise*, embers, burning coals
la *branche*, branch
le *bras*, arm
brave, good, brave, worthy
briller, to shine
le *bronze*, bronze, bronze figure
la *brouette*, wheelbarrow
se *brouiller*, to fall out, quarrel
le *bruit*, noise
le *brûlé*, burning
brûler, to burn
brun, brown
brusquement, abruptly
le *buisson*, bush

la *cabane*, cabin
le *cabaret*, public house
cacher, to hide
le *cachot*, dungeon
le *cadavre*, corpse
calme, calm
le *camarade*, comrade
la *canne*, cane, rod
la *canne à pêche*, fishing-rod
le *canon*, gun
le *caporal*, corporal
la *capote*, great-coat
caresser, to stroke
carré, square
la *cartouche*, cartridge
le *cas*, case
la *casquette*, cap
casser, to break
la *cathédrale*, cathedral
causer, to talk, chat
ceci, this
la *ceinture*, belt, waist
cela, that
celui, that, the one
celui-ci, the latter
cent, hundred
cependant, meanwhile, however
certain, certain
cesser, to cease

la *chaîne*, chain
la *chair*, flesh
la *chaise*, chair
la *chambre*, room
la *chambre à coucher*, bedroom
le *champ de vigne*, vineyard
chanceler, to stagger
le *chandelier*, candlestick
chanter, to sing, crow
chaque, each, every
la *charge*, care, cure (of souls)
charger, to load
la *charité*, charity
charmant, charming
chasser, to drive out, drive away
le *chat*, cat
la *châtaigne*, chestnut
la *chatte*, cat
le *chaud*, heat
chaud, warm, hot
se *chauffer*, to get warm
chausser, to put on
le *chemin*, road
le *chemin de fer*, railway
la *cheminée*, fire-place, mantel-piece
cheminer, to walk, go on
la *chemise*, shirt
cher, dear, expensive
chercher, to fetch, look for
le *cheval*, horse
les *cheveux* (*m*), hair
la *cheville*, ankle
la *chèvre*, goat
chez, at the house of, at the shop of
le *chien*, dog
le *chiffon*, scrap
choisir, to choose
la *chose*, thing, matter
le *chrétien*, Christian
le *ciel*, sky, heaven
le *cierge*, candle
cinquante, fifty
clair, clear
le *clair de lune*, moonlight
la *clairière*, clearing
la *clameur*, clamour, outcry
la *clé*, *clef*, key
la *cloche*, bell
le *coin*, corner
le *col*, neck
la *colère*, anger
coller, to put close
le *collet*, collar
le *colonel*, colonel
le *combat*, struggle
combien, how many, how much
commander, to command, give orders
commencer, to begin
comment, how, what
commun, common
la *compagnie*, company
comprendre, to understand
concentrer, to concentrate
condamner, to sentence
conduire, to lead, show
confesser, to confess

la confiance, trust
la confusion, confusion
la connaissance, acquaintance
connaître, to know
consentir, to agree
conserver, to preserve, keep
considérer, to examine, consider
consister, to consist
consoler, to console
constellé, constellated
la contemplation, contemplation
constant, glad, pleased, content
conter, to relate
continuer, to continue
contre, against
convaincre, to convince
le coq, cock
le corbeau, crow
la corde, rope
cornu, horned
le corps, body
le corridor, corridor
le Corse, Corsican
côte à côte, side by side
couché, lying
coucher, to sleep
se coucher, to lie down
le coucher du soleil, sunset
le coup, shot, blow
le coup de feu, shot
le coup de fusil, rifle-shot
le coup d'oeil, glance
couper, to cut
courageusement, bravely
courbé, bent
courber, to bend
courir, to run
court, short
le cousin, cousin
la cousine, cousin
coûter, to cost
couvrir, to cover
cra-cra, scratch-scratch
cracher, to spit, spit out, spout
craindre, to fear
le crayon, pencil
crépu, frizzled, woolly
creuser, to dig
crever, to pierce
crier, to cry
le crocodile, crocodile
croire, to believe
la croix, cross
la crosse, butt
le crucifix, crucifix
la cuillère, spoon
le cuir, leather
la cuisine, kitchen
culbuter, to turn over
le curé, vicar, parish priest
curieux, curious

le damas, damask
dangereux, dangerous
debout, standing, upright
décharger, to unload
décider, to decide
la déclaration, declaration
déclarer, to declare
dedans, inside

défendre, to defend
dehors, out
déjà, already
déjeuner, to breakfast
délicieux, delightful
demain, tomorrow
demander, to ask, ask for
demeurer, to remain, live, stay
demi, half
le *démon*, demon, devil
le *départ*, departure
déplier, to unfold
déposer, to put down
depuis, since, for
dernier, last
derrière, behind
dès, at, as early as
descendre, to go down
désirer, to want
la *destination*, destination
détacher, to detach, unfasten
la *détente*, trigger
déterminé, resolute
la *détonation*, detonation
le *détour*, bend, turn
devenir, to become
deviner, to guess
devoir, must, to have to
le *diable*, devil
le *diamant*, diamond
Dieu, God
difficile, difficult
digne, worthy
le *dimanche*, Sunday
le *dîner*, dinner
dîner, to dine
dire, to say, tell
la *direction*, direction
se *diriger*, to make for
disparaître, to disappear
se *disperser*, to disperse
la *disproportion*, disproportion
distinctement, distinctly
distinguer, to make out
divine, divine
dixième, tenth
le *doigt*, finger
dominer, to dominate
donner sur, to open onto
dont, of which
dormir, to sleep
le *dos*, back
le *double*, double
doucement, gently, mildly
la *douceur*, gentleness, kindness
la *douleur*, ache, grief, pain
douloureux, painful
la *doute*, doubt
doux, gentle, soft
le *dragon*, dragon
le *drap*, sheet
dresser, to prepare, set up
droit, right, straight
le *drôle*, rogue, scamp
dur, hard, rough
durement, harshly
durer, to last

l' *eau* (*f*), water
s' *échapper*, to escape
éclairer, to give light, shine
écouter, to listen

s' *écrier*, to exclaim
écrire, to write
une *écurie*, stable
effarer, to frighten
un *effet*, effect
un *effort*, effort
effrayé, frightened
égaré, bewildered
une *église*, church
égyptien, Egyptian
eh bien!, well!
élever, to bring up, raise
s' *élever*, to rise
s' *éloigner*, to go away
embarrasser, to embarrass
embaumer, to embalm
embrasser, to embrace
une *embuscade*, ambush
un *émondeur*, lopper, pruner
une *émotion*, emotion
s' *emplir*, to fill
employer, to use
emporter, to carry away, take away
ému, moved, trembling
encore, still, yet
s' *endormir*, to fall asleep
l' *enfance* (*f*), childhood
l' *enfer* (*m*), hell
enfermer, to shut up
s' *enfuir*, to run away
un *ennemi*, enemy
énorme, enormous
ensemble, together
ensuite, then
entendre, to hear
enterrer, to bury
entier, whole
entraîner, to drag, lead away
entre, between, in
entrer, to enter
une *enveloppe*, cover, wrapper
environ, about
les *environs*, neighbourhood
envoyer, to send
une *épaule*, shoulder
une *épée*, sword
épouser, to marry
épouvantable, dreadful
épouvanter, to frighten
épuiser, to exhaust
espagnol, Spanish
l' *espérance* (*f*), hope
espérer, to hope
un *espion*, spy
l' *espoir* (*m*), hope
un *esprit*, spirit
essayer, to try
étaler, to display
étendre, to extend, stretch out
étendu, stretched out
étinceler, to gleam, sparkle
l' *étonnement* (*m*), astonishment
étonner, to astonish
étrange, strange
un *étranger*, stranger
étroit, narrow
s' *évader*, to escape
s' *évanouir*, to faint
s' *éveiller*, to wake up
un *évêque*, bishop

évidemment, evidently, obviously
examiner, to examine
excellent, excellent
une *explosion*, explosion
une *expression*, expression
extraordinaire, extraordinary

la *face*, face
en face de, opposite
facile, easy
facilement, easily
la *façon*, way
le *fagot*, bundle, faggot
la *faim*, hunger
falloir, to be necessary
fameux, famous
la *famille*, family
fanatique, fanatical
la *fatigue*, fatigue
fatiguer, to tire
la *faute*, fault
la *femme*, wife, woman
la *fenêtre*, window
le *fer*, iron
le *fer-blanc*, tin
fermer, to close, shut
ferrer, to shoe
feu!, fire!
le *feu*, fire
la *feuille*, leaf, sheet
la *figure*, face, figure
se *figurer*, to imagine
la *figurine*, little figure
le *fil*, line
le *filet*, net
la *fille*, daughter, girl
le *fils*, son
la *fin*, end
finalement, finally
finir, to finish
fixement, fixedly
fixer, to fix
le *flambeau*, candlestick
flamber, to flame
la *flamme*, flame
le *fleuve*, river
le *flotteur*, float
ma foi!, upon my word!
le *foin*, hay
la *fois*, time
le *fond*, bottom, end
le *forçat*, convict
la *force*, force, strength, violence
fort (*adj.*), strong
fort (*adv.*), very
fortement, strongly, tightly
fou, mad
fouiller, to rummage, search
la *fourche*, fork, pitchfork
la *fourchette*, fork
le *fragment*, fragment, piece
frais, fresh, new
le *franc*, franc
le *Français*, Frenchman
le *français*, French
franchir, to pass
frapper, to clap, knock, strike, tap
frêle, frail
le *frère*, brother

frire, to fry
froid, cold
le *front*, forehead
fuir, to flee, run away from
la *fumée*, smoke
fumer, to smoke
la *fureur*, fury, passion
le *fusil*, rifle
fusiller, to shoot

gagner, to reach, earn
gaîment, merrily
les *galères* (*f*), galleys, hard labour
le *galérien*, galley-slave
le *garçon*, boy
le *garde*, guard
garder, to keep
garrotter, to bind, pinion
la *gauche*, left
le *géant*, giant
gémir, to groan
le *gémissement*, groaning, wailing
le *gendarme*, police-man
la *gendarmerie*, police
le *genou*, knee
les *gens* (*m*), (*f*), people
le *geste*, gesture
le *gond*, hinge
le *goujon*, gudgeon
la *gourde*, flask
la *grâce*, grace, mercy
grâce à, thanks to
gracieusement, graciously
la *grand'route*, highroad
le *grain*, grain
le *granit*, granite
grave, serious
gravement, solemnly
le *grenier*, loft
la *grenouille*, frog
se *griser*, to get tipsy
gronder, to rumble
le *groupe*, group
la *guerre*, war
guetter, to watch
la *gueuse*, beggar-woman
le *guichet*, grating, small window
le *guichetier*, turnkey

s' *habiller*, to dress
un *habitant*, inhabitant
une *habitude*, custom, habit
un *haillon*, rag
la *haine*, hatred
une *haleine*, breath
haleter, to pant
le *hasard*, chance
en hâte, in haste
hausser, to raise
hausser l'épaule, to shrug the shoulder
haut, loud, high
une *hauteur*, height
un *havresac*, haversack
hein!, eh!
hélas!, alas!
l' *herbe* (*f*), grass
un *héritier*, heir
hésiter, to hesitate

une heure, hour
de bonne heure, early
heureux, fortunate, happy
heurter, to hit, strike
un hibou, owl
hideux, hideous
hier, yesterday
une histoire, tale
un hiver, winter
hocher, to shake
un homme, man
honnête, honest
une horloge, clock
horrible, horrible
hors de, out of
un hôte, guest, host
l' huile (f), oil
huiler, to oil
humblement, humbly
humilier, to humiliate
un hurlement, howling, shrieking

une idée, idea
une idole, idol
une île, island
illuminer, to light up
une image, image
immédiatement, immediately
immobile, motionless
n' importe, no matter
impossible, impossible
une impression, impression
inarticulé, inarticulate
inconnu, unknown
indiquer, to indicate, point out
injustement, unjustly
inquiet, anxious
une inquiétude, anxiety
installer, to settle
un instant, instant
interdit, dumbfounded
un intérieur, interior
interminablement, endlessly
interrompre, to interrupt
un intervalle, interval
ironique, ironical

jamais, ever, never
la jambe, leg
janvier, January
le jardin, garden
la jatte, bowl
jaune, yellow
Jésus-Christ, Christ
le jet, jet
jeter, to throw, throw away
jeudi, Thursday
jeune, young
la joie, joy
la joue, cheek
jouir, to enjoy
le jour, day
le journal, newspaper
juger, to judge
jusqu'à, until
juste, right
le juste, just man
la justice, justice
justifier, to justify

là-bas, over there

lâcher, to release
là-haut, up there
laid, ugly
laisser, to leave, let, let go
le *lait*, milk
le *lambeau*, fragment, piece
la *lampe*, lamp
lancer, to fling, hurl
la *langue*, language, tongue
le *laquais*, scullion
la *larme*, tear
léger, light, slight
légèrement, lightly, softly
la *légèreté*, lightness
le *lendemain*, next day
lentement, slowly
la *lenteur*, slowness
la *lettre*, letter
lever, to raise
se *lever*, to get up, rise
la *lèvre*, lip
libérer, to set free
lier, to bind, tie up
le *lieu*, place
au lieu de, instead of
la *lieue*, league
la *ligne*, line
le *lion*, lion
lire, to read
le *lit*, bed
la *litanie*, litany
la *litière*, litter
le *livre*, book
loger, to lodge, put up, take in
loin, far
le *long de*, along
longtemps, long
lorsque, when
louer, to praise
lundi, Monday
la *lune*, moon
le *lynx*, lynx

machinalement, mechanically
mai, May
la *main*, hand
maintenant, now
la *mairie*, town hall
la *maison*, house
majestueux, majestic
mal, badly
le *mal*, evil
malédiction!, curse!
malgré, in spite of
malheureux, unlucky, wretched
manger, to eat
la *manière*, manner
manquer, to fail
le *maquis*, bush
le *marchand*, merchant
marcher, to walk
mardi, Tuesday
le *maréchal*, shoeing-smith
le *mari*, husband
massacrer, to massacre
massif, solid
le *matelas*, mattress
le *matin*, morning
méchant, wicked
mécontent, displeased
même (*adj.*), same

même (*adv.*), even
mémorable, memorable
la *menace*, threat
mener, to lead
le *mensonge*, lie
le *mépris*, contempt
la *méprise*, mistake
mercredi, Wednesday
la *mère*, mother
mériter, to deserve
la *messe*, mass
les *messieurs*, gentlemen
le *métal*, metal
mettre, to put, put on
se *mettre*, to begin
le *meuble*, piece of furniture
le *meunier*, miller
mexicain, Mexican
le *midi*, twelve o'clock
mieux, better, more
le *milieu*, middle
militaire, military
mille, thousand
mince, thin
la *minute*, minute
miraculeux, wonderful
misérable, miserable
au moins, at least
le *mois*, month
le *moment*, moment
la *momie*, mummy
tout le monde, everybody
monseigneur, my lord
le *monsieur*, gentleman
le *mont*, mount
le *montagnard*, mountaineer
la *montagne*, mountain
la *montre*, watch
montrer, to point out, show
se *moquer*, to make fun of, mock
le *morceau*, bit, piece
la *mort*, death
le *mort*, dead man
le *mot*, word
mou, soft
mouiller, to moisten, wet
mourir, to die
le *mouvement*, movement
murmurer, to murmur

naturel, natural
nerveux, nervous
le *nez*, nose
ni . . . ni, neither . . . nor
niais, foolish, silly
noir, black
le *nom*, name
nombreux, numerous
nommer, to name
noueux, knotted, knotty
nouveau, new
de nouveau, again
nu, bare
la *nuit*, night
le *numéro*, number

obéir, to obey
un *obélisque*, obelisk
un *objet*, object
obliger, to oblige
obscur, dark
obséder, to haunt, obsess

occuper, to trouble
s' *occuper*, to busy oneself
octobre, October
une *odeur*, odour, smell
un *oeil*, eye
un *officier*, officer
une *olive*, olive
une *ombre*, shadow
un *ongle*, nail
une *opération*, operation
l' *or* (*m*), gold
un *ordre*, order
une *oreille*, ear
oriental, Eastern
original, original
orner, to adorn
osciller, to swing to and fro
oser, to dare
ôter, to take off
d' *où*, whence
oublier, to forget
ouvert, open
une *ouverture*, opening
un *ouvrage*, job, work
ouvrir, to open

la *page*, page
la *paille*, straw
le *pain*, bread, loaf
paisiblement, peacefully
la *paix*, peace
pâle, pale
pan! pan!, rat-tat-tat!
le *panier*, basket
le *papier*, paper
par, by, through
le *paradis*, paradise
paraître, to appear
paralyser, to paralyse
parce que, because
par-dessus, over
pardon, excuse me
le *pardon*, pardon
pardonner, to forgive
les *parents*, parents, relatives
parfait, perfect
le *parfum*, fragrance, perfume, scent
parfumer, to scent
parler, to speak
la *parole*, word
partir, to depart, leave, set out
partout, everywhere
le *pas*, pace, step
le *passant*, passer-by
le *passeport*, passport
passer, to pass, spend
se *passer*, to happen
pastoral, pastoral
pauvre, poor
paver, to pave
payer, to pay, pay for
le *pays*, country, district, land
le *paysan*, peasant
la *peau*, skin
la *pêche*, fishing
pêcher, to fish
le *pêcheur*, fisherman
le *pécheur*, sinner
la *peine*, pain, trouble
se *pencher*, to bend, stoop
pendant, during, for

pendant que, while
pendre, to hang
pénétrer, to enter
la *pensée*, thought
penser, to think
pensif, thoughtful
la *perdition*, perdition
perdre, to lose
le *père*, father
permettre, to permit
la *permission*, permission
personne, anybody, nobody
pétrifier, to petrify
peu, little
peu à peu, little by little
le *peuple*, people, race
la *peur*, fear
peut-être, perhaps
le *Pharaon*, Pharaoh
la *pièce*, coin, piece, room
le *pied*, foot
à pied, on foot
la *pierre*, stone
Pierre, Peter
piller, to pillage
les *pinces* (*f*), nippers, pincers
la *pipe*, pipe
piquer, to goad, prick
la *pitié*, pity
le *placard*, cupboard
la *place*, place, position, room, square
placer, to place
la *plaine*, plain
plaisanter, to joke
la *planche*, plank
la *plate-bande*, flower-bed
plein, full
pleurer, to weep
le *pli*, fold
plonger, to plunge
plutôt, rather
la *poche*, pocket
le *poids*, weight
le *poignard*, dagger
point, no
pointu, pointed
le *poisson*, fish
la *poitrine*, chest
poli, polite
polir, to polish
la *porcelaine*, porcelain
le *portail*, portal
la *porte*, door, gate
porter, to carry
se *porter*, to be
poser, to place, put
posséder, to possess
le *possesseur*, possessor
possible, possible
le *pouce*, thumb
le *poulet*, chicken
pourquoi?, why?
poursuivre, to continue, go on, pursue
pourtant, however, yet
pousser, to push, utter
la *poussière*, dust
pouvoir, to be able
le *pouvoir*, power
la *précaution*, caution, precaution

premier, first
prendre, to catch, take
présent, present
présenter, to introduce, present
presque, almost
prêt, ready
prêter, to lend
le *prêtre*, priest
prier, to pray
la *prière*, prayer
le *prieur*, prior
la *princesse*, princess
la *prison*, prison
le *prisonnier*, prisoner
produire, to produce
profiter, to avail oneself of, take advantage of
profond, deep
profondément, deeply, utterly
le *projet*, plan
la *prolongation*, extension
prolonger, to prolong
la *promenade*, walk
se *promener*, to walk
promettre, to promise
à propos, by the way
la *proposition*, proposal
propre, own
le *Prussien*, Prussian
puisque, since
le *puits*, well
punir, to punish
pur, pure
le *purgatoire*, purgatory
la *pyramide*, pyramid

quant à, as for
quatrième, fourth
quel, what
quelque, some
quelque chose, something
quelquefois, sometimes
quelqu'un, some one
la *question*, question
quoi, what

la *race*, race
racheter, to buy back
raisonnablement, reasonably
ramasser, to pick up
ramener, to bring back, bring round
le *rang*, class, rank, row
rapidement, rapidly
rappeler, to recall
se *rappeler*, to remember
le *rapport*, report
rapporter, to bring back
se *rapprocher*, to approach
rare, rare
rarement, rarely
se *rasseoir*, to sit down again
rauque, hoarse, rough
le *ravin*, ravine
le *rayon*, beam
recevoir, to receive
réciter, to recite
recommencer, to begin again
la *récompense*, reward
la *reconnaissance*, gratitude
se *recoucher*, to lie down again
recouvrir, to cover over

le *redoublement*, increase
redoubler, to increase
redouter, to dread, fear
la *réflexion*, reflection
refuser, to refuse
le *regard*, look
regarder, to concern, look, look at
le *registre*, record, register
rejoindre, to rejoin
réjouir, to cheer, delight
relever, to raise
se *relever*, to get up again
remarquer, to notice, remark
remettre, to hand over, put back, put on again
se *remettre à*, to begin again
remplacer, to replace
remuer, to move
rencontrer, to encounter, meet
rendre, to give back
se *renseigner*, to get information
rentrer, to return
répandre, to spread
reparaître, to re-appear
repentant, penitent
répéter, to repeat
répliquer, to reply
répondre, to answer, reply
reprendre, to answer, capture, continue, take again
représenter, to represent
la *réputation*, reputation
la *résistance*, resistance
résister, to resist
respectueusement, respectfully
respirer, to breathe
resplendissant, bright
ressembler, to resemble
le *reste*, rest
au *reste*, besides, however
rester, to remain, stay
retenir, to withhold
retirer, to withdraw
retomber, to fall again
se *retourner*, to turn round
retrouver, to find again
réussir, to succeed
réveiller, to awaken
se *réveiller*, to wake up
revenir, to come back, return
rêver, to dream
rêveur, musing
le *rideau*, curtain
ridicule, ridiculous
la *rivière*, river
la *robe*, dress, robe
la *robe de chambre*, dressing-gown
robuste, hardy, robust
le *roi*, king
rompre, to break
la *ronce*, bramble, briar
rose, pink
rôtir, to roast
la *roue*, wheel
rouge, red
rouler, to wrap
la *route*, road
en *route*, on the way
la *rue*, street
rude, hard, harsh

ruiner, to ruin
la *ruse*, ruse, trick

le *sac*, knapsack, sack
saint, holy
le *saint*, saint
saisir, to seize
la *salive*, saliva
la *salle*, hall, large room
la *salle à manger*, dining-room
saluer, to greet
le *salut*, salute
samedi, Saturday
la *sandale*, sandal
le *sang*, blood
le *sang-froid*, coolness
sanglant, blood-stained
le *sanglot*, sob
sangloter, to sob
sans, but for, without
satisfait, satisfied
sauter, to jump
sautiller, to hop
sauver, to save
savoir, to know, know how to
le *sceptre*, sceptre
sec, dry, hard, sharp
second, second
la *seconde*, second
secouer, to press, shake
le *secret*, secret
la *semaine*, week
sembler, to seem
le *sentier*, path
le *sentiment*, feeling
sentir, to feel
séparer, to separate
sérieux, serious
le *serpent*, serpent, snake
le *serre-papier*, paper-weight
serrer, to lock up, put away, squeeze
la *servante*, servant
servir, to serve
le *seuil*, threshold
seul, alone, single, sole
seulement, only
sévère, harsh, severe
le *siècle*, century
sien, hers, his
siffler, to hiss
le *signal*, signal
le *silence*, silence
silencieux, silent
la *silhouette*, silhouette
sinistre, evil, sinister
sixième, sixth
la *soeur*, sister
la *soif*, thirst
le *soin*, care
le *soir*, evening
le *soldat*, soldier
le *soleil*, sun
la *solennité*, solemnity
sombre, dark
le *sommeil*, sleep
sonder, to probe, try
songer, to reflect, think
sonner, to ring, strike
la *sorte*, kind
sortir, to come out, go out

le *sou*, sou
soudain, suddenly
soudainement, suddenly
souffler, to blow out
souffrir, to suffer
se *soulever*, to rise
le *soulier*, shoe
la *soupe*, soup
souper, to have supper
le *soupir*, sigh
soupirer, to sigh
sourd, dull, rumbling
sourire, to smile
le *sourire*, smile
sournois, sly
soutenir, to support
le *souvenir*, memory
le *spectacle*, sight
la *statue*, statue
stupéfait, dumbfounded
stupide, stupid
suivre, to follow
superbe, splendid
superstitieux, superstitious
suspendre, to suspend
sûr, sure
surprendre, to surprise
surpris, surprised

la *table*, table
le *tableau*, painting, picture
le *tablier*, apron
se *taire*, to be silent
le *talon*, heel
tandis que, while
tant, so much
la *tante*, aunt
tantôt . . . tantôt, now . . . now
tant que, as long as
tard, late
le *tas*, heap, pile
la *tasse*, cup
le *temps*, time
tendre, to hold out
tenez!, here! look!
tenir, to get hold of, hold
la *tentation*, temptation
la *tentative*, attempt
tenter, to try
terminer, to finish
la *terre*, ground
la *terreur*, terror
terrible, terrible
terriblement, terribly
la *tête*, head
tiède, warm
tiens!, well!
tien, yours
tirer, to draw, pull, pull out
tomber, to fall
le *ton*, tone
tonner, to thunder
la *torche*, torch
toucher, to move, touch
toujours, always, still
le *tour*, turn
tourner, to turn
tous les deux, both
tout, all, quite
tout à coup, suddenly
tout à fait, completely

tout à l'heure, just now, presently
tout de suite, at once
tout d'un coup, suddenly
la *trace*, trace, track
la *trahison*, treachery
traîner, to drag
le *traître*, traitor
tranquille, calm, quiet
tranquillement, quietly
la *tranquillité*, calm
le *travail*, work
travailler, to work
à *travers*, through
en *travers*, across
traverser, to cross
trébucher, to stumble
treizième, thirteenth
le *tremblement*, trembling
trembler, to tremble
tremper, to dip
trente, thirty
tressaillir, to shudder, start
triste, sad
tristement, sadly
la *tristesse*, sadness, sorrow
le *trône*, throne
le *trottoir*, pavement
le *trou*, hole
se *troubler*, to become alarmed, be upset
le *troupeau*, flock
trouver, to find
se *trouver*, to be, find oneself
tuer, to kill
la *tunique*, coat, tunic
le *type*, type

un *uniforme*, uniform

la *vache*, cow
vague, vague
le *vainqueur*, conqueror, victor
valoir, to be worth
le *vaurien*, good-for-nothing, rogue
la *veille*, the evening before
vendre, to sell
vendredi, Friday
vénérable, venerable
venir de, to have just
le *vent*, wind
le *ventre*, belly
Vénus, Venus
la *vérité*, truth
en *vérité*, indeed
le *verre*, glass
la *vertu*, virtue
vêtu, dressed
la *veuve*, widow
victorieux, victorious
vide, empty
la *vie*, life
la *Vierge*, the Virgin
vieux, old
vif, keen, lively
vigoureux, strong
la *ville*, town
le *vin*, wine
la *vingtaine*, score
violent, violent
le *visage*, face

la *visière*, peak
visiter, to search, visit
vite, quick, quickly
la *vitesse*, speed
la *vitre*, window-pane
vivant, alive, living
vivement, quickly
voici, here is, this is
voilà, that is, there is
voir, to see
voisin, neighbouring
la *voix*, voice
voler, to fly, steal
le *voleur*, thief
volontiers, willingly
vouloir, to want, wish
voyager, to journey, travel
le *voyageur*, traveller
vrai, real, true
vraiment, really, truly
la *vue*, sight

les *yeux*, eyes